Sumitra

Die Autorin:

Rukshana Smith ist Inderin. Sie wurde 1948 in Birmingham geboren. Heute lebt sie in London. Sie arbeitet als freiberufliche
Journalistin für verschiedene Zeitungen, unter anderem für die
›Times‹ und den ›Spectator‹. ›Sumitra zwischen zwei Welten‹ ist
ihr erstes Buch. Es wurde in verschiedene Sprachen übersetzt
und »als wesentlicher Beitrag zur Verständigung zwischen den
Rassen« mit einem Preis ausgezeichnet. ›Schwarz fehlt im Re-
genbogen‹ ist ein weiterer Titel der Autorin.

Rukshana Smith

Sumitra
zwischen zwei Welten

Aus dem Englischen von Fred Schmitz

Deutscher
Taschenbuch
Verlag

Titel der Originalausgabe: ›Sumitra's Story‹, erschienen 1982
bei The Bodley Head Ltd., London

Worterklärungen auf Seite 187

Ungekürzte Ausgabe
Juni 1986
5. Auflage August 1991
Deutscher Taschenbuch Verlag GmbH & Co. KG, München
© 1982 Rukshana Smith
© für die deutsche Ausgabe: 1983 Benziger Edition im
Arena Verlag, Würzburg
ISBN 3-545-32233-5
Umschlaggestaltung: Celestino Piatti
Umschlagbild: Bernhard Förth
Gesetzt aus der Garamond 10/11˙
Gesamtherstellung: Ebner Ulm
Printed in Germany · ISBN 3-423-07860-X

I

Einen Tag vor der Hochzeit von Tante Leela nahm Mr. Patel seine Tochter Sumitra mit nach Kampala, um das Feuerwerk zu kaufen. Der Vater kaufte immer das Feuerwerk; in der Kunst, ein prächtiges Schauspiel zu arrangieren, war er inzwischen Fachmann geworden. Er kannte die verschiedenen Feuerwerksätze und konnte stundenlang in Katalogen blättern und sich dabei wunderbare Farbeffekte ausmalen.

»Ganz wichtig«, belehrte er im ratternden Bus seine Tochter, »ist die Abwechslung. Zum Beispiel: Würdest du denn einem Goldenen Pfau einen Goldregen hinterherschießen?«

»Nein, Bap«, sagte Sumitra gehorsam und starrte durch die verstaubten Scheiben auf das ausgetrocknete Land.

»Nein!« bestätigte der Vater erfreut. »Was du brauchst, ist eine Meteor-Rakete, ein Luftbukett, eine Blaue Bombe. Das schafft Abwechslung und macht Stimmung.« Murmelnd wiederholte er die Bezeichnungen und genoß in Gedanken die Licht- und Knalleffekte. Bilder aus seiner Kindheit blitzten in ihm auf, Tempel, Pfauen und Blumen aus seiner Heimat Gujarat – und alles durchdrungen von der glühenden Innigkeit und dem Geheimnis Indiens.

»Nicht nur die Farben, auch Tempo und Ablauf spielen eine Rolle«, fuhr er fort und unterstrich dabei die Wichtigkeit seiner Worte mit erhobenem Finger. »Zuerst eine Rakete, da gehen die Augen in die Höhe, dann vielleicht ein Wasserfall, mittelhoch, und dann ein paar Kanonenschläge, die die Leute in Stimmung bringen.«

Sumitra hatte das alles schon einmal gehört. Schläfrig lehnte sie sich gegen den harten Sitz zurück und ließ ihren Vater weiter daherreden.

5

Der Bus holperte über die unebene Straße, und bei jeder Erschütterung klimperten die fünf Münzen leise in ihrem Baumwoll-Täschchen. Sie liebte diese lange Fahrt durch die ausgedörrte Ebene. Sie kamen durch Dörfer, wo Inderinnen vor den Häusern kauernd *Chapattis*, hauchdünne Mehlfladen, in der Sonne backten. Sie fuhren an Siedlungen von Schwarzen vorbei, wo nackte Kinder vor den Hütten tobten und spielten. Gelegentlich bekamen sie auch flüchtig die weißen Häuser der Engländer hoch auf den Hügeln zu sehen. Hie und da donnerten Wasserfälle über Steilhänge hinab in Seen, in denen Negerjungen schwammen und Frauen ihre Wäsche wuschen.

Der Vater blätterte noch einmal in seinem abgegriffenen Katalog. »Goldwirbel, Scharlachfontäne, Luna-Bombette«, sagte er feierlich. Die Hochzeit seiner Schwester sollte ein großer Erfolg werden.

Sumitra bewegte sich. Er sah mit einem Blick, daß sie eingeschlafen war, und rückte etwas näher, um den Arm um sie zu legen, damit sie nicht vom Sitz rutschte. Dabei dachte er: Wie hübsch sie ist. Von seinen Töchtern war sie die schönste, mit ihrer seidigen, goldbraunen Haut, ihrem weichen, schwarz-glänzenden Haar und ihren tiefdunklen, mandelförmigen Augen. Sie war zehn Jahre alt – beinahe schon eine Frau. Sein Herz setzte einen Schlag lang aus. Raum und Zeit sind nur Illusionen. Kaum ist ein Baby geboren worden, so kam es ihm vor, muß auch schon die Mitgift mit dem zukünftigen Schwiegersohn besprochen werden. Wieder vertiefte er sich in den Katalog und verbrachte die restliche Zeit damit, das Feuerwerk für Sumitras Hochzeit zu planen.

Sumitra hielt seine Hand ganz fest, als sie ausstiegen. Schwüle Hitzewellen rollten über sie hinweg. Ein geschäftiges Treiben mit viel Geschrei umgab sie. Der Vater führte sie durch das Straßengewühl, an alten Afrikanerinnen vorbei, die in ihren Buden Kleinigkeiten zum

Essen feilboten, bis zu einem langen, schmalen Laden ohne Licht.

»Olindo?« rief er hinein. Eine Weile rührte sich nichts. Dann aber sagte eine Stimme aus dem Dunkel: »Na, dann wollen wir mal sehn.« Sumitra bekam Angst; sie konnte keinen Menschen sehen. Nun schlurfte ein tiefschwarzer Mann in den Ladenraum. Er lachte sie zur Begrüßung an, aber er war so dick, daß das Lachen ganz langsam, wellenförmig, von den Backen bis zum Bauch hinunterrutschte. Sie mußte an einen See denken, in den ein Stein geworfen wird. Gebannt starrte sie ihn an.

»*Jambo, Effendi, jambo!* Das ist also Ihre Tochter?« sagte Mr. Olindo und kniff sie in die Wange. Er gab ihr eine Packung mit halb geschmolzenen Bonbons und wandte sich lächelnd ihrem Vater zu. »Also da heiratet jemand, was?« Der Vater nickte, und Mr. Olindo stellte Schachteln aus den Regalen auf den Tisch. »Wir haben gerade letzte Woche etwas Neues aus Amerika hereinbekommen, mit einer neuen Zündungstechnik ...«

Sumitra konnte das Suaheli kaum verstehen. Sie ging zur Tür, setzte sich auf einen alten Blechkasten und schaute dem Treiben auf der Straße zu.

Sie steckte sich ein Bonbon in den Mund. Daran zu lutschen half ihr beim Nachdenken. Sie fragte sich, warum die Schwarzen Suaheli sprechen und die Inder Gujarati oder Hindi. Sie fragte sich, warum manche Menschen schwarz sind, andere braun und wieder andere weiß. Ihren Vater konnte sie nicht fragen, er liebte diese Art von Gesprächen nicht. Obwohl ihr Haus immer voller Leute war, gab es tatsächlich keinen, mit dem sie wirklich etwas besprechen konnte.

Mai hatte immer zu tun, sie mußte Freundinnen Gesellschaft leisten oder auf Bimla und Ela aufpassen. Sandya war erst acht Jahre alt und noch zu klein, um über so etwas nachzudenken. Ihr Gefühl sagte ihr, daß sie auch Cooky, die Köchin, und Yusuf, den Haus-Boy, nicht danach fragen konnte; Tante Leela, die seit dem Tode ihres

Großvaters bei ihnen wohnte, hätte vielleicht helfen können, aber sie war jetzt viel zu sehr mit ihrer eigenen Hochzeit beschäftigt. Doch Sumitra mußte es herausbekommen. Sie hatte das Gefühl, wenn sie erst die Antwort auf die Frage gefunden hätte, warum die Menschen so verschieden sind, dann wäre sie hinter das Geheimnis der Welt gekommen. »Mai sagt, die Afrikaner sind schmutzig, und wir dürfen nicht mit den schwarzen Kindern spielen. Warum sind wir dann hier? Warum sind sie nicht in Indien geblieben, wenn sie die Eingeborenen hier nicht mögen?«

In der Schule waren die meisten Kinder Inder. Es gab auch ein paar Afrikaner und Engländer, aber da die Schule in der Nähe eines indischen Stadtteils lag, waren die meisten der Schüler Nachbarkinder, mit denen Sumitra aufgewachsen war. Auf dem Schulhof spielten zwar alle noch gemeinsam, aber nach Hause lud jeder nur die Kinder seiner eigenen Rasse ein, da taten sich nur Afrikaner mit Afrikanern zusammen, Inder mit Indern und Weiße mit Weißen.

Sumitra lächelte vor sich hin, als sie eine alte Afrikanerin sah, die einen Sack Kuskus auf dem Kopf trug; sie erinnerte sie an Birungis Großmutter, die manchmal vor der Schule wartete. Mit Birungi gab es immer etwas zu lachen, dachte sie und steckte sich ein neues Bonbon in den Mund; Birungi konnte so weit spucken wie ein Junge, zwanzigmal hintereinander radschlagen und auf Bäume klettern. Sie war eine Häuptlingstochter, mit dem Sohn eines Zauberers verlobt, und das gab ihr etwas Geheimnisvolles, das sie interessant machte.

»Ob ich Birungi mal einladen dürfte?« fragte sie sich, während der süße Saft ihr die Kehle hinunterrann. Aber sie wußte, sie würde so etwas nie fragen. Da war niemand, den man fragen könnte. Sie blickte in die Packung, die nur noch ein Bonbon enthielt. Es war grün. Plötzlich durchzuckte sie ein Gedanke. Die Bonbons waren alle verschiedenfarbig gewesen, orange, schwarz, gelb, weiß und grün, kamen jedoch alle aus demselben Päckchen. Irgendwo, tief innen, sagte ihr etwas, daß diese Einsicht sehr bedeutsam sei, aber sie wußte nicht genau, wieso und wofür, und nahm sich vor, später einmal auf diesen Gedanken zurückzukommen.

Ihr Vater war mit den Einkäufen fertig. Er trug zwei herabbaumelnde Pakete, die auf dem Weg zu Sanghvis Geschäft dauernd gegeneinanderstießen. Mr. Sanghvi und ihr Vater stammten aus dem gleichen Städtchen in Gujarat. Die Familien besuchten sich gegenseitig alle paar Wochen, und als sie ins Geschäft traten, begrüßte sie Mr. Sanghvi mit großer Herzlichkeit. »*Kem cho, Devendra? Kem cho, Sumitra?* Du bist ja schon wieder gewachsen! Was machen die anderen Töchter? Wie geht es Charulatah?« Mr. Sanghvi redete so schnell, wie Regentropfen bei einem Wolkenbruch aufs Dach prasseln. »Setzt euch, setzt euch, Talika bringt uns gleich Tee.« Er winkte den Vater in den Sessel und klatschte in die Hände.

Während die beiden miteinander schwatzten, starrte Sumitra auf den Sessel, der in dieser schlampigen Umgebung völlig fehl am Platze wirkte. In Sanghvis Super-Handelszentrum des Ostens, dem »besten Markt Ostafrikas für Waren aus Asien«, standen Regale neben- und hintereinander, voller Kistchen und Kästchen mit Gewürzen, Kräutern, Pülverchen, Konfekt und Gebäck. Und inmitten von Paketen mit Räucherstäbchen, Sandelholz, Parfüms und Sari-Stoffen, die auf dem Boden herumlagen, stand nun dieser sehr alte, heruntergekommene Mahagoni-Sessel mit hochgezogenen Armlehnen wie in hilfloser Verzweiflung über das ganze Durcheinander. Ein Bein war einmal beschädigt worden, niemand wußte mehr, wie, und jemand hatte ein Stück Orangenkiste zur Verstärkung darübergenagelt.

Talika schlängelte sich durch den Perlenvorhang im hinteren Teil des Geschäfts und nahm Sumitra mit in die Küche. Talika war sechzehn Jahre alt und blieb zu Hause, um den Haushalt zu führen. »Nimm Gebäck aus der

Dose«, ordnete sie an, »und lege es auf die Teller.« Sie ließ Wasser in den Kessel laufen und machte Tee. Als Sumitra Kokosnußecken und Reisbällchen aus der Holzkiste nahm, die als Schrank diente, sah sie mit gesenktem Gesicht zu Talika hinüber. Vielleicht wußte Talika Rat, sie war so anders als alle andern. Schon als Baby hatte sie ihre Mutter verloren; als einziges Kind hatte sie vielleicht genügend Zeit gehabt, um über viele Dinge nachzudenken und sie zu begreifen.

»Talika«, begann Sumitra, »warum sind manche Menschen schwarz und andere braun und andere weiß?«

Talika lachte verächtlich. »Woher soll ich das wissen? Frag doch den Guru!«

Sumitra seufzte und legte das klebrige Gebäck auf den angeschlagenen Teller. Talika blickte sie verdrossen und doch so teilnehmend an, als hätte sie eine verwandte Seele erkannt. Bitter fuhr sie fort: »Einst hatte Gott Krishna Langeweile. Da nahm er eine Pfanne und erhitzte darin *Ghee,* also Büffelmilchbutter, ferner etwas Zucker und Wasser, und dann goß er alles aus. Die *Ghee* war weiß und floß zuerst heraus, dann kam der Zucker, und der war braun. Die Pfanne aber war angebrannt und schwarz und dreckig, die ließ er stehen, damit seine Frau sie wieder saubermache.«

Sumitra hörte die Wut in ihrer Stimme und fragte sich, warum Talika so aufgebracht war.

»Und das ist der Grund, warum die Weißen immer zuerst kommen, die Inder sind die Zweitbesten, und die Schwarzen sind das Letzte. Und das ist auch der Grund, warum die Frauen immer die Drecksarbeit machen müssen.«

»Wie meinst du das?« fragte Sumitra verwundert.

»Ach, sei still und beeil dich jetzt. Das wirst du später verstehen.«

Talika huschte mit dem Tee in den Ladenraum, und Sumitra kam vorsichtig mit dem Tablett voller Konfekt hinterher. Sie war jetzt ganz verwirrt.

Auf der Theke standen Papiertüten mit Gebäck und Gewürzen, die ihr Vater schon eingekauft hatte. Plötzlich fielen ihr die fünf Münzen ein. Sie nahm sie aus ihrem Täschchen und bat Mr. Sanghvi, ihr dafür ein paar Bonbons zu geben. Er füllte die Bonbons aus einem Glasbehälter in eine große Tüte. »Hier, mein Kind. Du kriegst so viele, weil du so hübsch bist.« Zu ihrem Vater sagte er: »Also vergiß meinen Neffen nicht. Er wird sogar ein Stipendium bekommen, ein kluger Junge ist das, wird wahrscheinlich mal Arzt oder Anwalt oder so was und macht dann eine Menge Geld. Noch ein paar Jahre, dann braucht er eine Frau.« Er stieß ihren Vater an, und in Sumitra stieg Angst auf. Würde sie auch heiraten müssen – wie Leela?

»Und denk auch daran«, fuhr Mr. Sanghvi fort, »nächsten Monat wird Talika verheiratet.« Sumitra sah Talika an. Steif stand das Mädchen da, unter starker Spannung wie eine zu straff angezogene Sitarsaite. »Ja, sie heiratet den Jungen von Shah, zieht dann in die Gegend von Jinja und hilft im Teeladen mit, erstklassiges Geschäft.«

Ihr Vater trank aus und stand auf. »Komm, Sumitra, wir müssen nach Haus.« Als sie hinausbegleitet wurden, schwatzte Mr. Sanghvi ohne Unterlaß, während Sumitra eine Handvoll Bonbons aus der Tüte holte und sie Talika ungeschickt in die Hand drückte.

2

Essen! Davon hing nicht nur ihr Leben ab, sondern was sie unter guten Sitten verstanden. Gäste wurden nicht einfach gefüttert, sondern gespeist – mit Teller auf Teller voller Suppe, dampfendem Reis, *Pori*, *Chapattis*, *Samosas*, Bohnen, Kartoffeln, alles in reichlich Sauce gekocht und gut gewürzt. Butterkekse, *Chevra*, *Penda*, *Gulab jamon*, *Barfi*, klebriges Konfekt wurden gereicht und verspeist, bis die Männer den Druck der Hemdenknöpfe spürten und die Frauen unauffällig ihre Saris lockerten. Motiben, die Mutter des Bräutigams, und Sumitras Mutter Mai und Cooky hatten für die Hochzeitsfeier schon wochenlang am Herdfeuer vorgekocht und die vorbereiteten Portionen in alten Blechdosen aufbewahrt.

Sumitra hatte die Aufgabe, die Dosen zu etikettieren. Sie hatte auf der Schule das lateinische Alphabet gelernt, das ganz gewöhnliche Abc, aber sie beschriftete die Etiketten auf Gujarati, verzierte die Buchstaben noch mit Schnörkeln und nahm für jedes Etikett einen anderen Farbstift. Die Dosen türmten sich um sie herum wie rostende Silbertrommeln, wurden dann mit den Portionen gefüllt und in die Vorratskammer gebracht. Yusuf stapelte sie hoch über dem Boden in Regale, unerreichbar für Skorpione und Ratten.

Die Musikanten trafen ein, und die Mädchen liefen pausenlos hin und her und brachten Kissen aus dem Haus in den Garten. Die Vorbereitungen dauerten bis in den späten Abend. Die Musikanten besprachen sich, welche *Ragas* zu spielen wären. Die Nachbarn schickten ihre Dienerschaft zum Aushelfen. Sumitras Vater stellte schriftlich einen ausgearbeiteten Feuerwerksplan zusammen, änderte ihn wieder, und schließlich verwarf er alles wieder aufgrund neuer Einfälle und machte eine neue Liste. Mai und Cooky backten und backten immer weiter, als könnten sie nicht mehr aufhören.

Den ganzen Tag über kamen Verwandte an, die sie seit der letzten Familienfeier nicht mehr gesehen hatten. Freunde aus allen Teilen Ugandas fuhren vor – manchmal neun bis zehn Mann hoch in einem Wagen. Sumitra beobachtete gebannt, wie sie aus einem Auto herausquollen. Sie mußte an einen Zauberkünstler in einem englischen Film denken, der massenweise Kaninchen aus einem einzigen Zylinder herausgeholt hatte. Immer, wenn sie glaubte, nun sei ein Wagen endgültig leer, wurde doch noch ein schlafendes Kind herausgezerrt oder ein ächzender, kreischender Alter, der die ganze Fahrt unter einem Enkel begraben gewesen war und nun dennoch sein Wohlbefinden beteuerte.

Kinder gab es haufenweise, und alle mußten bewundert und getätschelt werden. Sumitra tobte mit den Kusinen Nalima und Sadna im Garten herum. Zwischendurch rief Mai sie dann immer wieder, und sie rannten lachend zur Küche, um gefüllte Teller in den Garten zu bringen.

Der Astrologe hatte die Abenddämmerung zum günstigsten Zeitpunkt für die Hochzeit erklärt. Unglücklicherweise war der Guru nirgends zu sehen. Die Musiker spielten ein paar Gebetsmelodien, währenddessen die Küche Teller um Teller füllte, und Yusuf wurde losgeschickt, um den Guru und den Astrologen zu suchen.

»Ich hoffe nur, er sagt nicht, wir müßten die Hochzeit bis morgen verschieben«, murmelte Mai, »oder bis nächsten Monat.«

Dann kam Yusuf eilends zurück und verkündete mit wichtiger Miene: »Der Guru ist unterwegs. Sein Wagen ist zusammengebrochen, und er mußte sich ein Pferd mieten. Er wird gleich hier sein.« Die Menge jubelte.

Der Astrologe kam auf einem blumenbekränzten Ochsen, den ein kleiner Junge führte. Er las eine drei Jahre alte englische Zeitung, die ihm jemand vor langer Zeit geschickt hatte. Er benutzte sie seither bei wichtigen Auftritten in der Öffentlichkeit. Niemand bemerkte, daß er sie verkehrt herum hielt; alle sahen nur die englische Zeitung und fühlten sich geehrt bei dem Gedanken, daß dieser gebildete Mann sich herabließ, zu ihrem Fest zu kommen. Er stellte ein neues Horoskop, während Sumitras Vater ihm ein paar Münzen zusteckte.

»Die Zeremonie kann sofort beginnen«, verkündete der weise Mann. Mai seufzte erleichtert und berührte dankbar seine Füße. Sogleich wurde die Feierlichkeit eröffnet, wie es sich gehörte. Leela und Jayant, ihr Bräutigam, saßen im Hause neben dem Guru auf einem hölzernen Podium. Der

Schrein wurde mit frischen Nüssen, Blumen und Zuckerwerk gefüllt, der Guru bestrich das Hochzeitspaar mit Sandelholzpaste. Motiben und Jayants jüngerer Bruder Gopal nahmen Ehrenplätze an der Spitze der Festversammlung ein. Mai als Gastgeberin schlängelte sich immer wieder mit neuen Tellern voller Speisen durch die Menge, aber der Vater, der eigentlich auch auf das Podium gehörte und jetzt *Hare Krishna, hare Ram* hätte mitbeten müssen, lief nervös herum und murmelte »Scharlachfontäne, Goldregen« vor sich hin.

Nach der Zeremonie lief Sumitra zu Leela und flüsterte: »Bap macht jetzt ein tolles Feuerwerk – nur für dich.« Leela hielt sie umfaßt und sagte traurig: »O Sumitra, ich werde dich sehr vermissen.«

»Aber du kommst doch zu Besuch, und wir sehen uns jeden Tag«, meinte Sumitra erstaunt.

»Nein, mein Liebes«, sagte Leela sanft, »Motiben hat entschieden, daß wir nach England gehen. Und Gopal kommt mit.«

»England!« wiederholte Sumitra. »Wir haben Bilder von England in unseren Lesebüchern. Das ist doch Tausende von Meilen weit weg und kalt und neblig. Warum müßt ihr denn da hin?« Leela lächelte, und dann wurde Sumitra gerufen; sie wurde in der Küche gebraucht.

Das Feuerwerk war prächtig. Sumitras Vater hatte sich selbst übertroffen. Der Himmel wetterleuchtete in Purpur, Gold, Grün, Blau und Silber. Hinter den Toren drängten sich Dutzende von Negerkindern, um das feurige Schauspiel zu bewundern. Die Kinder der Gäste rannten aufgeregt durch den Garten, schrien voller Begeisterung Ah und Oh und bejubelten jeden Knall. Nach jeder Beifallsrunde hob der Vater dankend beide Hände wie ein erfahrener Theaterunternehmer.

Bevor er den letzten Satz zündete, drehte er sich mit ausgestreckten Armen und bedeutender Miene zum Publikum. Alles verstummte erwartungsvoll. Er hielt die Flamme an die Zündschnur – und nichts geschah. Die schwarzen Zuschauer draußen machten spöttische Witze. Cooky brüllte sie auf Suaheli an, sie sollten verschwinden. Der Vater versuchte es noch einmal, und jetzt zündete es zischend; die Rakete schoß in die Höhe und zerteilte sich in immer neue kugelige Bündel von jeweils Hunderten von wirbelnden, leuchtenden Sternen. »Die Goldwirbelrakete«, murmelte Sumitra und wiederholte leise den Katalogtext: »Ein prachtvoller Abschluß Ihres Gartenfeuerwerks.«

Es war tatsächlich ein prachtvoller Abschluß. Der Himmel war mit einem Filigrannetz glühender Goldlichter überzogen. Plötzlich brach eines davon in wildem Zickzack aus, schoß nach oben und dann quer über den Himmel, und Sumitra hatte den Eindruck, es ziele direkt auf sie; es landete wirklich auf ihrem Handrücken und brannte sich in die Haut. Das tat weh, und sie schrie auf; sofort war sie von aufgeregten Frauen umgeben. Cooky kam mit Tiger-Balsam herausgelaufen und schmierte etwas davon auf die Brandblase. Mai wiegte sie in den Armen. Motiben fächelte ihr mit einem *Banyan*-Blatt zu.

»Ein gutes Vorzeichen«, lachte ihr Vater und erfand augenblicklich eine neue Legende. »Hanuman, der Affengott, hat sich einmal in der anderen Welt an einem Feuer verbrannt. Es bringt Glück. Es ist ein Zeichen, daß diese Nacht uns Gutes verheißt.« Sumitra unterdrückte ihre Tränen. Sie wurde gestreichelt, verbunden, mit klebrigem *Gulab* gefüttert und brauchte nichts mehr zu tun.

»Glückspilz«, murmelte Sandya grimmig, die sich plötzlich zum »Mädchen für alles« befördert sah.

Sumitra saß nun bei den Erwachsenen, die verbundene Hand vorsichtig in den Schoß gelegt. Die kleine Ela trippelte zu ihr, kletterte ihr auf die Knie und legte ihr Köpfchen an Sumitras Schulter. Schon halb schlafend, hörte Sumitra den Gesprächen zu. Man sprach vom Präsidenten, von Indien, Uhuru, England und vom Verlassen Ugandas. Sie verstand kaum etwas, wollte sich aber Sätze einprägen, um sie sich später erklären zu lassen.

Die Gäste blieben eine Woche lang. Dann war wieder Ruhe. Niemand schlief mehr auf Treppenstufen oder in der Küche. Verdrossen halfen Cooky und Yusuf beim Aufräumen. Der alte Hund bezog wieder seinen Stammplatz im Hof.

»Cooky«, fragte Sumitra, die sich an ein Gespräch im Garten erinnerte, »was ist eine Nisierung?«

Cooky klopfte Bettdecken aus, und Staubwolken wirbelten in die Sonnenstrahlen. »Nisierung?« fragte sie und rückte sich ihr baumwollenes Kopftuch zurecht.

»Ja«, sagte Sumitra, »es muß etwas mit Afrika zu tun haben.«

Cooky wischte sich den Schweiß vom Gesicht. »Na klar, Mädchen«, gab sie zur Antwort, »eine Nisierung, das ist eine ganz gewöhnliche afrikanische Nisierung.« Sie schlug noch einmal heftig auf die Decke, wie um anzudeuten, daß die Unterhaltung beendet sei. »Nun lauf schön, Mädchen, ich hab' zu tun.«

Im Schulhof ging Sumitra mit Birungi zum Sandkasten. »Rungi, was heißt Nisierung?« Davon haben Leute gesprochen, auf Leelas Hochzeit. Nisierung in Afrika.«

»Afrika-nisierung, du dummes Ding. Afrikanisierung heißt, wir Afrikaner wollen hier selber Herr im Haus sein. Mein Vater hat es mir erklärt. Im Moment haben die Engländer in Schulen und Gerichten zu sagen, die Inder haben Geschäfte und Läden, und die Schwarzen schuften bloß. In Zukunft wollen wir selber über Schulen und Läden bestimmen und über die Arbeit auch.«

»Aber was sollen die Inder und die Weißen dann machen?« fragte Sumitra verwirrt. Sie wäre nie auf den Gedanken gekommen, daß Dinge sich ändern können. Ihr war eine so klare Abgrenzung, wie Birungi sie vorgenommen hatte, nie aufgefallen. Und nie war es ihr bewußt geworden, daß der augenblickliche Zustand eine gewaltige Ungerechtigkeit darstellte. Und an dieser Ungerechtigkeit war sie irgendwie mitbeteiligt. Der Gedanke erschreckte sie und machte ihr angst.

»Was die dann machen? Keine Ahnung«, sagte Birungi geradeheraus. Sie sagte immer ganz direkt, was sie meinte.

Sumitra setzte noch einmal an. »Rungi, warum sind manche Menschen schwarz und manche weiß und manche braun?«

»Ich weiß nicht, das hab' ich mir auch schon mal überlegt. Komm, wir wollen radschlagen.« Und das machten sie dann, bis die Klingel sie wieder in die Klasse rief.

Birungi wußte also auch keine Antwort. Gab es überhaupt eine Antwort darauf? Sie schlugen das Lesebuch Nr. 6 auf Seite siebenunddreißig auf und hörten Miß Evans, der Lehrerin, zu. Es war eine Engländerin, die von der Freiwilligen Entwicklungshilfe hierher geschickt worden war. Sie hatte rotes Haar, das ihr in unordentlichen Locken bis auf den Rücken hing, und eine unsaubere, bleiche Haut. Sie trug Blusen, Röcke und Nylonstrümpfe. Die Mädchen hielten sie für hübsch und elegant. Sumitra spielte mit ihren Zöpfen und wünschte, sie hätte auch rotes Haar. Aber Inderinnen haben niemals rotes Haar.

»Mrs. Brown geht mit Fred im Schnee spazieren. Wer von euch weiß, was Schnee ist?« Sumitra wußte, daß Schnee weiß und naß ist. Es war eigentlich Regen, der beim Fallen zu Schnee gefror. Einmal hatte ihr der Vater vom Gulu-Markt eine kleine Glaskugel mitgebracht, die einen Jungen und ein Mädchen umschloß; wenn man die Kugel schüttelte, wirbelten weiße Teilchen wie im Schneesturm umher.

Sie versuchte, sich Leela und Jayant im Schneesturm vorzustellen. Sicher würde etwas Schnee auf Leelas Sari hängen bleiben. Zwei Wochen war es jetzt her, daß sie mit Motiben und Gopal nach England gezogen waren, zu kurz noch für einen Brief hierher. Sie konnte nicht verstehen, warum sie Uganda verlassen hatten, wo es warm und sonnig war und wo die Tage angefüllt waren mit vergnüglichen Besuchen untereinander.

Was sie von England wußte, hatte sie im Cambridge-Übersee-Lesebuch aufgeschnappt oder von Jamin gehört, einem alten Mann, der vor dem Krieg in England studiert hatte. »England ist eine Insel auf der westlichen Halbkugel.« Es liege vor dem europäischen Kontinent, der genau wie Afrika eine zusammenhängende Landmasse sei und wo es eine Menge verschiedener Länder und Stämme mit verschiedenen Sprachen und Gebräuchen gebe. Und manchmal führten die Stämme Krieg gegeneinander wie in Afrika auch.

Was die Landschaft und das Klima betrifft, da unterschied sich Europa doch sehr von Afrika. England, hatte Sumitra gelernt, war ein grünes Land, durch dessen Wiesen sich Bäche und Flüsse schlängelten. Schwer, sich so ein grünes Land so weit weg vorzustellen. Aber Sumitra konnte sich England nur im Zusammenhang mit der gewohnten afrikanischen Umgebung vorstellen, und hier waren eben Felder und Flüsse von Sandflächen eingefaßt, und Häuser im englischen Stil lagen nur auf Hügeln.

Eines Abends hatte Jamin ihren Vater besucht. Mit gekreuzten Beinen saß er auf der Veranda und bohrte mit seinen verkrümmten Fingern in den Pekannüssen herum. Dabei erzählte er von England. Alle Engländer, oder jedenfalls alle reichen Engländer, hatte er gesagt, tragen steife Hüte, und die Engländerinnen trinken alle Tee. Sie tragen oft um den Kopf gebundene Tücher, ähnlich wie die Negerinnen, und sie haben die erstaunliche Gewohnheit, ihr Haar auf Lockenwickler aufzudrehen, damit es nachher so gekräuselt ist wie das Haar der Acholi.

Miß Evans klingelte zur Mittagspause. Das beendete Sumitras Staunen über Frauen, die ihr Haar auf Lockenwickler aufdrehen; sie lief mit Birungi und Mary zum Sandkasten. Wie immer teilten sich die Mädchen, was sie zum Essen mitbekommen hatten. Mary hatte Eier-Sandwiches dabei, Rungi einen Topf mit *Mealie* und Bohnen, und Sumitra packte *Chapattis* aus und Kartoffeln mit Senfkörnern.

»Heute darf ich gar keine Eier essen«, verkündete Sumitra fröhlich und biß herzhaft in ein Sandwich von Mary.

»Warum nicht?« fragten die anderen.

»Weiß ich auch nicht. Hat was mit Gott Krishna zu tun, aber ich weiß nicht mehr, was.«

»Wir reisen bald ab«, sagte Mary, nahm ein *Chapatti* und tunkte es in Rungis Bohnen.

»Wohin denn?« fragte Rungi.

»Nach England.«

»England! Da ist meine Tante gerade hingefahren«, rief Sumitra erstaunt aus. »Nach London ist sie gegangen. Und du? Wohin gehst du? Und warum?«

Mary schüttelte sich die blonden Haare aus dem braungebrannten Gesicht. »Dad hat's uns erst gestern abend gesagt«, antwortete sie. »Wir gehen nach Manchester. Das ist im Norden von England, wo meine Eltern herkommen. Ich bin nie da gewesen. Wird mir auch sicher nicht gefallen. Mir gefällt's hier.« Sie war ganz traurig, und die anderen sahen, daß sie weinte. Rungi und Sumitra legten ihre Arme um Mary und versuchten, sie zu trösten.

»Da, nimm noch etwas *Penda*.«

»Probier noch ein *Mealie*, du hast doch *Mealies* so gern.«

»Dad sagt, besser wir gehen jetzt, bevor sie uns rauswerfen.«

»Wer denn?« fragte Sumitra überrascht. »Ihr seid doch Weiße.«

»Dad sagt, Präsident Amin wird alle Engländer rausschmeißen, auch Ingenieure wie ihn. Deshalb müssen wir raus, bevor es losgeht.«

»Losgeht? Was soll denn losgehen?« fragte Sumitra ängstlich.

»Ach, ich weiß nicht.« Mary klang müde. »Du weißt doch, wie Erwachsene sind. Du kannst sie nicht fragen, was sie meinen. Und wenn, dann halten sie einfach den

19

Mund, bis du im Bett bist. Aber ich werde euch sehr vermissen. Schreibt ihr mir auch?«

»Aber klar, natürlich«, sagte Birungi und fügte grinsend hinzu, »uns wirst du gar nicht vermissen, nur unser herrliches Essen.«

Mary stürzte sich auf ihre Freundin und kitzelte sie. Sumitra zeichnete das lateinische Alphabet in den Sand. Bevor es losgeht, hatte Mary gesagt. Es war schon wahr: Irgend etwas lag in der Luft, eine Spannung, eine Erregung, eine unterschwellige, zur Wende drängende Strömung, die fühlbar in der heißen Luft vibrierte und einen hauchdünnen Dunstschleier über die Grasbüschel hinweg erzittern ließ. Sie lächelte gegen ihre eigene Angst an. Sie kam sich vor wie eine der Figuren in der Glaskugel, die der Vater ihr mitgebracht hatte. Beim geringsten Schütteln war sie den Stürmen, die um sie herum tobten, ohnmächtig ausgeliefert.

3

Es war Sumitra schon seit einiger Zeit aufgefallen, daß die Erwachsenen ganz plötzlich ihr Gespräch unterbrachen, wenn sie oder Sandya ins Zimmer kamen. Nur wenn sie ganz still irgendwo saßen und die Großen ihre Anwesenheit vergessen hatten, dann ging das Gespräch weiter und drehte sich um die Ereignisse, die sich in Uganda überstürzten.

Nur ein paar Monate später gab es schon keine Zurückhaltung mehr gegenüber den Kindern. Mai und ihr Mann konnten nicht mehr so tun, als wäre nichts passiert. Befreundete Familien waren geschlossen nach England, Amerika oder Indien ausgereist. Inder wurden enteignet, ihre Läden und Firmen Schwarzen übergeben. Die Lehrer waren jetzt alles Schwarze; die indischen Kinder blieben zu Hause, denn sie hatten Angst und ihre Eltern Vorurteile. Wer sich auf die Straße wagte, riskierte, überfallen, angeschossen oder getötet zu werden. Uganda war auf dem Marsch zur Freiheit, und für *Dukanwallahs,* die kleinen Ladenbesitzer, gab es keinen Platz in der glorreichen Revolution.

Cooky hatte sie verlassen. Yusuf und der Hund liefen lustlos und ziellos herum. Mai war unbeherrscht und den Tränen nahe. »Nun packt endlich! Packt doch!« schrie sie dauernd. Aber die Mädchen wußten nicht, was. »Laßt die Saris da. Nur das Nötigste. Baps Sitar bleibt hier. Nur ein paar Kleider. Aber beeilt euch!«

Also packten sie, ein Mädchen von elf und eines von neun Jahren, ohne zu wissen, warum sie gehen mußten und wohin und für wie lange. Sie packten in einem Zustand der Betäubung. Leela war nun schon ein Jahr weg. Währenddessen hatte Idi Amin in vielen Ansprachen gegen die Asiaten im Lande gewettert und gedroht, mit ihnen abzurechnen. Deswegen stand der Vater nun in der Hitze nach den Papieren an, die sie für die Ausreise brauchten. Seit drei Tagen stand er in einer Schlange, die kaum vorwärts kam. Zweimal am Tag ging Mai zur britischen Gesandtschaft, um ihm Essen zu bringen.

Einmal hatte sie Bimla mitgenommen. Sie hatten Tote in den Straßen liegen sehen. Jetzt lag Bimla auf ihrem Lager und schrie im Fieber: »Erschossen! Erschossen!« Es ist wie ein Alptraum, dachte Sumitra, während sie Kisten mit Heiligenbildern und rituellen Gegenständen füllten und Kästen mit Kleidern und Hausgeräten. Wenn eine Kiste voll war, nagelte Yusuf sie unter Tränen zu. Sumitra malte Leelas Adresse mit schwarzer Tinte auf das Holz.

»Wohin gehen wir?« fragte Sandya. »Nach Indien?«

»Nein, nach England«, schluchzte Sumitra.

»Aber die einzige, die richtig Englisch sprechen kann, bist doch nur du. Sonst niemand. Was sollen wir denn da? Ich will da nicht hin. Ich bleib' hier. Ich will hierbleiben.« Die beiden Mädchen fielen sich in die Arme und weinten.

Mai stürmte mit einem Armvoll Kleider herein. »Nun

eilt euch doch! Schneller!« schrie sie, die Stimme schrill vor Angst. Dann sah sie, daß die beiden weinten. »Aber, aber, meine Schäfchen, nicht weinen. Wir müssen abreisen, wir haben keine Wahl. Der Präsident hat allen Indern befohlen, Uganda zu verlassen. Es ist besser zu gehen, als aufgehängt zu werden. Wir werden bei Leela wohnen. Wenn wir hierbleiben, schlagen sie uns tot.«

Sumitra schaute ihre Mutter an. Tränenfurchen durchzogen ihr Gesicht, ihr Haar war unordentlich. Der Sari war zerknüllt, voller Flecken. Und da war es Sumitra klar, daß der Alptraum Wirklichkeit geworden war. Was in den Straßen passierte, das ferne Gewehrfeuer und das Stöhnen, hatte sie nicht so stark beeindruckt. Aber der Anblick ihrer Mutter, die früher immer beherrscht und elegant und jetzt abgehärmt und schmutzig war, sagte ihr, daß das bisherige Leben zu Ende war.

»Warum gehen wir nicht nach Indien, Mai?« fragte Sandya. »Wir sind Inder, hast du uns doch immer erzählt. Wir sprechen Gujarati, wir kennen die indischen Sitten. Ich will nicht nach England gehen.«

»Genug jetzt!« fauchte Mai. »Zum Glück haben wir englische Pässe. In England bekommt ihr eine gute Schulausbildung, kostenlos. Ihr wißt nicht, was ihr sagt. Wir dürfen kein Geld mitnehmen. In Indien könnten wir gar nicht leben. In England bekommen wir ein Haus, und ihr geht auf die Schule. Und jetzt eilt euch!«

Sie packten weiter, Teller und Kleider. Sumitra schaute ihre Mutter noch einmal an. Mai hatte zwar immer alles gut organisiert, aber es war ihnen nie so recht bewußt geworden, daß Cooky und Yusuf die Hauptarbeit geleistet hatten. In dieser letzten Woche war das Leben ein einziges Durcheinander gewesen. Mahlzeiten fielen aus, selbst wenn man etwas zum Essen besorgt hatte. Mai hatte fast vergessen, wie man ohne die Hilfe von Dienstboten kocht oder einkauft, und die Mädchen hatten es nie zu lernen brauchen. Sumitra fragte sich, wie das wohl in England sein würde und ob sie dort Hauspersonal bekämen.

Aber für solche Überlegungen war jetzt keine Zeit mehr. Der Vater und Mr. Sanghvi kamen zurück, sie brachten die Pässe mit und verkündeten, das nächste Flugzeug starte in zwanzig Minuten. Sie ergriffen soviel sie konnten. Yusuf wurde aufgetragen, das restliche Gepäck an die Adresse auf den Kisten zu schicken. Sumitras Vater übergab ihm den Rest seines ugandischen Geldes und den Hund, worauf sie sich alle in Mr. Sanghvis Auto zwängten und abfuhren. Yusuf weinte. Der Hund heulte auf. Selbst der Mangobaum sah verlassen aus. Jeder vermied es, auf die Leichen zu blicken, die wie faulende Früchte an den Bäumen hingen. Sumitra weinte, als sie an Cooky, Yusuf und Birungi dachte, die sie nie wiedersehen würde. »Kwa heri ya kuona«, hatte Yusuf beim Abschied gesagt, »bis zum nächsten Mal.« Aber sie wußte, ein nächstes Mal würde es nie mehr geben.

Das Flugzeug war voller verängstigter, weinender Inder. »Ja, meine Freunde«, sagte Mr. Sanghvi, »wir haben hart gearbeitet und die Bäume gesetzt, jetzt werden andere die Früchte genießen.« Mit wackelndem Kopf schaute er bedeutungsvoll in die Runde. Sumitra dachte an den Mangobaum im Garten. Sollte Yusuf jetzt die Früchte genießen – es machte ihr nichts aus. Sie hoffte nur, daß ihm nichts passierte; er könnte erschossen werden, weil er für sie gearbeitet hatte. Sie beschloß, ihm bei der ersten Gelegenheit zu schreiben und sich nach ihm zu erkundigen.

Ihr Vater saß stocksteif da und schwieg. Er war als junger Mann nach Uganda gekommen, so wie früher ein Engländer in die Staaten ging, voller Ehrgeiz und Unternehmungslust. Mit Fleiß und viel Arbeit hatte er ein blühendes Geschäft aufgebaut. In seinem Städtchen war er bekannt und geachtet, er hatte ein massives, schönes Haus. Und jetzt flog er mit Hilfe der British Airways samt Frau und vier Töchtern in ein ihm unbekanntes Land.

Allmählich, auf dem stetigen Flug nach Norden, änderte sich die Stimmung der Passagiere. Monatelang waren sie voller Sorge und Furcht gewesen, und jetzt fühlten sie sich zum ersten Mal sicher. Frauen packten *Samosas, Penda* und *Chevra* aus. Plastikflaschen tauchten auf, und die Familien boten sich gegenseitig ihre Delikatessen an. Aus dem Massenauszug war ein Picknick, ein Abenteuer, geworden. Die Stewardessen teilten die vorgeschriebenen Mahlzeiten aus, die die Passagiere höflich annahmen und auf den Tellern erkalten und zu Abfall erstarren ließen. Bimla war überzeugt, die Afrikaner hätten das Essen im Flugzeug vergiftet, vertilgte aber mit Behagen sieben hausgemachte *Samosas*. Ela wurde es schlecht. Aufgeregte Frauen beugten sich über sie, brachten Salben, Tabletten und Talismane herbei.

Sumitra versuchte das Englisch der Stewardessen zu verstehen. Bis jetzt hatte sie nur das Englisch von Miß Evans gehört. Miß Evans hatte immer langsam und deutlich gesprochen, schwierige Wörter wiederholt und Fragen so formuliert, daß die Klasse sie verstehen konnte.

Nacheinander schliefen die Passagiere ein. Stewardessen und Stewards sammelten lautlos die Tabletts ein, klappten die Tischchen hoch, brachten Decken und löschten die Hauptbeleuchtung. Schon im Halbschlaf, lächelte Sumitra einer Stewardeß zu. Diese, eine große, blonde junge Frau mit einem freundlichen Gesicht, lächelte zurück und klopfte ihr beruhigend auf die Schulter. »Wenn ich einmal groß bin«, beschloß Sumitra, »werde ich Stewardeß. Ja, das will ich werden.«

Die Stimme des Kapitäns weckte alle. »Wir befinden uns jetzt über Frankreich und werden in etwa dreißig Minuten in Heathrow landen.«

»*Su che? Su che?*« fragten hundert Stimmen, und die das Englisch verstanden hatten, übersetzten es den anderen. Feuchte Erfrischungstücher wurden hervorgeholt, man wischte sich übers Gesicht, kämmte sich und wickelte die Saris neu.

»Ela ist drei Jahre alt. Ihre Schwester Bimla ist fünf. Sandya ist neun und Sumitra elf. Sumitra ist die älteste, Ela die jüngste. Sie fliegen in einem Flugzeug«, wiederholte sich Sumitra auf englisch, aber die knarrende Stimme unterbrach ihren Selbstunterricht. »Bitte schnallen Sie sich jetzt an. Wir sind in London Heathrow.« Das Flugzeug senkte die Nase und setzte dann weich auf der Landebahn auf.

Dank dem Cambridge-Lesebuch Nr. 6 wurde Sumitra zum geschäftsführenden Manager der Familie. Da sie als einzige fließend Englisch sprach, war es nun ihre Aufgabe, zu organisieren, Dolmetscher zu spielen und zu erklären. Mit ihren elf Jahren war sie nun verantwortlich für das Ausfüllen der Formulare, die Beschaffung des Nötigsten und die Entscheidungen, die zu treffen waren. Ihr Vater, aus seiner Rolle gedrängt, die er so viele Jahre gespielt hatte, verfiel in eine tiefe Depression. Er saß auf seinem Bett im Schlafsaal der Männer und starrte hinaus in den englischen Herbst.

Mai und die anderen Frauen kochten in den Gemeinschaftsküchen des Barackenlagers, das noch vor kurzem eine Armeeunterkunft gewesen war. Sandya kümmerte sich um Bimla; das Kind war immer noch in Panik, bei jedem Laut schreckte es auf und murmelte ununterbrochen: »Ich hasse Präsident Amin! Ich hasse Präsident Amin!«

Sumitra füllte Formulare aus. »Familienname: Patel. Haushaltsvorstand: Devendra Patel. Alter: 38. Ehefrau: Charulatah Patel. Alter: 30. Name und Alter der Kinder: Sumitra Patel = 11, Sandya Patel = 9, Bimla Patel = 5, Ela Patel = 3. Niederlassung erwünscht in: London.«

Alle Flüchtlinge trugen London oder Birmingham oder Leicester ein, ohne zu wissen, daß man sie dazu bringen wollte, sich im Lande zu verteilen. Bap und Mai wußten nicht, daß die Engländer sie als Bedrohung ansahen, als

Teil einer ungeheuren Welle von Einwanderern, die eine fremde Sprache sprachen, exotische Kleider trugen und seltsame Gottheiten verehrten. Umgekehrt waren die Flüchtlinge eingeschüchtert von einer Zivilisation, die ihnen würdelos und schamlos vorkam. Die Behörden versuchten, die Situation zu entschärfen, indem sie die Einwanderer möglichst über das ganze Land verteilt unterbrachten. Aber die Flüchtlinge wollten nicht nach Schottland oder Wales. »Schottland? Wo ist Schottland?« fragte Mai. »Wo ist das? Leela wird uns abholen, keine Sorge, die kommt schon. Wir wohnen in London.«

Schon der Name war tröstlich. London – das kannte jeder. Das hörte man immer in den Nachrichten, das las man immer in den Zeitungen. Aber hätte sie jemand nach Glasgow gebracht und ihnen weisgemacht, das sei London, wären sie auch völlig zufrieden gewesen. Es war nicht der Ort London, der sie anzog – es war ihnen ja sowieso alles zu fremd –, es war der Klang des Namens.

»Religion: Hindu. Beruf des Haushaltsvorstands: Radio-Händler in Uganda. Sprachen, die der Haushaltsvorstand spricht: Gujarati, Hindi, Suaheli.«

Sie verbrachten zwei Wochen im Lager und versuchten, sich einzugewöhnen. Die Tage waren kühl, aber sonnig – die Engländer sprachen vom Altweibersommer. Sumitras Vater erholte sich langsam von seinem Schock. Zusammen saßen sie bei den Mahlzeiten an langen Tischen. Manchmal kamen Sozialarbeiter und freiwillige Helfer und holten die älteren Frauen zum Englisch-Unterricht ab oder um ihnen zu zeigen, wie man das Telefon benutzt. Sie gingen mit ihnen ins Postamt, zeigten ihnen die verschiedenen Geschäfte und machten einen Besuch im Krankenhaus. Lachend und verwirrt kamen die Frauen zurück. Die Leute hatten sie angegafft, Kinder hatten ihnen nachgerufen. Die Engländerinnen trugen kurze Kleider mit tiefem Ausschnitt. In den Läden sah man merkwürdige Kleidungsstücke, komische Schuhe und Lebensmittel. Überall herrschte Ordnung und Disziplin. Die Geschäfte hatten sich auf bestimmte Sachen spezialisiert – auf Obst oder Fleisch oder abgepackte Nahrungsmittel, hier gab es nicht das verwirrende Durcheinander von allem auf einmal, das ihnen bisher als das Normale erschienen war. Die Häuser standen in einer Reihe, jedes mit einem Gärtchen und ordentlichen Beeten.

»Nächste Angehörige in Großbritannien: Mr. Jayant Patel, Worthington Avenue, Highgate, London.«

Jayant bemühte sich, die Familie zu finden. Es war dem Vater nicht mehr möglich gewesen, ihm die Abreise mitzuteilen, er hatte aber gleich nach der Ankunft in England geschrieben, doch die Lageradresse nicht gewußt. Jayant verbrachte Tage damit, verschiedene Fürsorgestellen anzurufen und nach seiner Familie zu forschen.

Jede Nacht, bevor sie einschlief, sagte sich Sumitra: »Morgen kommt Leela. Ganz bestimmt kommt Leela morgen.« Dann starrte sie, ohne Schlaf zu finden, auf die weißgetünchte Decke und sah sich um, ob Mai und ihre Schwestern schon schliefen. Mai hatte sich gewöhnlich unter der Bettdecke ganz zusammengerollt. Ela und Bimla teilten sich ein Bett, Ela schlief schon und ließ ein rundliches Ärmchen aus dem Bett heraushängen, während Bimla weiter ihr Haßgebet vor sich hinmurmelte: »Ich hasse Präsident Amin! Ich hasse Präsident Amin!« Sandya, vom Englischlernen völlig erschöpft, döste im allgemeinen nur vor sich hin. Und Sumitra betrachtete den Widerschein des Mondlichts im Fenster.

Sie versuchte immer wieder, sich über ihre neue Stellung klarzuwerden. In Uganda standen sie als Inder unter den Engländern, aber über den Eingeborenen. Im Vergleich mit der afrikanischen Mehrheit hatten sie zweifellos Vorrechte. Aber jetzt waren sie in der Hackordnung nicht mehr ziemlich weit oben, sondern ganz unten. Es ging wieder einmal um das alte Problem der Verschiedenheit der Hautfarbe, Sprache, Kultur und Entlohnung.

Aber warum nur? Warum? Sie schlief ein und träumte von Birungi und Yusuf. Rungi saß unter dem Mangobaum, und Yusuf fächelte ihr zu.

4

Da mußte jemand an den Uhren herumgespielt haben. Jedesmal, wenn Sumitra aufschaute und dachte, jetzt müßten zwei Stunden vergangen sein, war es nur eine halbe Stunde später. Diese langen Abende war sie nicht gewöhnt, und die leeren Tage krochen dahin wie eine Schnecke an der Wand. Das Barackenlager wurde allmählich leerer; Verwandte oder Freunde der Flüchtlinge meldeten Ansprüche auf ihre Familien an wie andere Leute auf ihre Sachen im Fundbüro.

Eines Nachmittags, als sie untätig herumsaß, schaute sie zu, wie zwei Gestalten aus einem Wagen stiegen, an den Baracken entlang blickten und langsam die Auffahrt heraufgingen. »Wer wohl heute entlassen wird?« sagte sie zu ihrer Mutter, die neben ihr im Kasino saß und an einem Kleidchen für Ela nähte. Doch plötzlich sprang sie mit einem Schrei auf, lachend und weinend zugleich.

Mai blickte erschreckt hoch. »Das ist Leela!« schrie Sumitra. »Leela und Jayant. Endlich holen sie uns hier raus.« Mai stürzte hinaus, um ihren Mann und die Kinder herzubringen. Sumitra warf sich schluchzend in Leelas Arme, als die beiden den Vorplatz betraten. »Leela, Leela, ich hab's ja gewußt. Wir haben so lange gewartet, aber ich hab' immer gewußt, daß ihr kommt.« Sie brachte die beiden in die Kantine, und da kam auch schon die ganze restliche Familie herein. Alle sprachen auf einmal, umarmten sich, lächelten und vergossen Freudentränen.

Die paar Sachen, die ihnen gehörten, waren schnell in Taschen umgepackt, und dann kroch alles in Jayants Auto. »Neuer Wagen«, sagte er stolz und erklärte dem darum herum spazierenden Bap die Scheibenwischer, die automatische Türverriegelung, den geräumigen Kofferraum. Dann stob der Wagen mit aufheulendem Motor und quietschenden Reifen davon, und sie waren viel zu aufgeregt, um ihre Beengtheit zu spüren. Die Erwachsenen sprachen über die neuesten Nachrichten, während die Mädchen mit Staunensrufen aus dem Fenster starrten. »Sieh mal, Mai, wie fett die Kühe sind. Und die Pferde und Schafe, guck doch mal.« Sie verwunderten sich über die verstopften Straßen, lachten über die Mini-Röcke der Mädchen und bewunderten die Parklandschaft.

Auf der Fahrt durch London wies Jayant auf die Sehenswürdigkeiten hin. »Das ist der Buckingham-Palast, da wohnt die Königin. Hier ist der Hyde Park. Wir sind jetzt in der Oxford Street, wo die berühmten Geschäfte sind.« Dann kamen sie durch Vorstädte mit hübschen Alleen und solide gebauten Häusern. Vor einem hielt Jayant an. »Wir sind da«, sagte er und genoß ihre Bewunderung. »Das ist mein Haus.« Gopal und Motiben kamen mit einem breiten Willkommenslächeln herausgelaufen.

Sie zwängten sich ins Freie und streckten die verkrampften Glieder. Bimla klammerte sich an Sumitras Hand, sie hatte gesehen, wie die weißen Vorhänge im Nachbarhaus sich ruckartig bewegt hatten. Mai erschauerte, obwohl es recht warm war. »Kommt rein, kommt rein«, drängten Leela und Motiben und geleiteten die Patels in ihr neues Heim.

Kurz darauf saßen alle beim Tee und aßen Gebäck. Hätte Mai nicht geweint, Bimla nicht ihr »Ich hasse Präsident Amin« gemurmelt und Bap nicht so auffallend geschwiegen, wäre es wie ein ganz normaler Nachmittag in der alten Heimat gewesen.

Die Frage der Unterbringung war schnell gelöst. Motiben, Leela, Jayant und Gopal bewohnten den ersten Stock, und die Flüchtlinge würden im Wohnzimmer und in der Küche auf Matratzen und Sofas schlafen. Diese Einteilung war allen recht; sie kamen aus einer Tradition, in der Zimmer beliebig benutzbar waren. Noch war ihnen die Unterscheidung zwischen Eßzimmer, Wohnzimmer, Schlafzimmer ungewohnt. Die Nachbarn ringsherum schliefen in Schlafzimmern, aßen in Eßzimmern, kochten in Küchen und führten Besucher ins Wohnzimmer. Motiben störte es nicht, eine Familie zu haben, deren Mitglieder in allen vorhandenen Räumen schliefen. Das war normal. Nur englische Sozialarbeiter und Journalisten wären entsetzt gewesen, wie Sumitra viel später erkannte.

Aber es zeigte sich bald, daß ein Leben ohne Köchin und Haus-Boy nicht einfach ist. Leela, Motiben und Mai verbrachten die meiste Zeit in der Küche und bereiteten die herrlichsten Mahlzeiten zu. Was die Raumverhältnisse betraf, da konnte man sich vielleicht bescheiden, bei der Anforderung an die Essensqualität nicht. Fertiggerichte waren verpönt.

Am nächsten Tag nahm Jayant sie mit, um »die Sache mal in Gang zu bringen«. Sie bewunderten sein müheloses Englisch, seine Beschützerhaltung ihnen gegenüber, die Art, wie er mit den Leuten im Schulamt und im Arbeitsamt umging. Am Ende der Woche hatte er Schulen für die Mädchen und einen Arbeitsplatz für Bap gefunden.

In Uganda hatte Sumitras Vater ein Elektrofachgeschäft mit einer großen Kundendienst-Abteilung besessen. Aber in diesem kalten neuen Land zählte das nicht – er sprach kein Englisch. Er sollte in einer Fabrik arbeiten, die mit dem Bus leicht erreichbar war. Es war ein einfacher Job am Montageband, aber immerhin ein Job, und in der Fabrik arbeiteten noch andere Inder aus Uganda. Für ihn war es eine Demütigung, und er war mürrisch und niedergeschlagen.

Ganz in der Nähe war die Volksschule, in der Sandya und Bimla nun angemeldet waren. Sumitra sollte Northfields, eine moderne Gesamtschule in Finchley, besuchen. Alle dachten das gleiche: Wie würden sie mit der Sprache zurechtkommen? Würden sie Freunde finden? Würden sie glücklich sein? Sie beneideten alle Klein-Ela, die jetzt selbstvergessen im Garten spielte, die Vögel in Gujarati anrief und der Siamkatze des Nachbarn indische Märchen erzählte.

Am Montagmorgen brachen die Patels zur Reise in die neuen Welten auf – wie Raumfahrer zu neuen Planeten starten, die schon immer da waren, ohne daß sie es wußten. Bimla und Sandya gingen Hand in Hand die Straße hinunter und sahen sich dauernd um, ob Mai ihnen noch winkte. Sie wirkten klein, zerbrechlich und angstvoll.

Sumitra fuhr in aller Frühe nach Finchley; sie folgte Jayants Zeichnung und fand die Schule ohne Schwierigkeit. Es war ein riesiges Gebäude, größer, als sie es sich je vorgestellt hätte. Ihre Schule zu Hause hätte hier leicht in einen einzigen Trakt gepaßt. Sie wanderte staunend umher: alles Ziegelsteine und Glas, in klaren geraden Linien angeordnet. Pfade verbanden die Gebäude-Komplexe untereinander. Sie sah auf die Uhr. Es war halb neun. Horden von Kindern trafen ein, brüllten und winkten einander zu.

Ein Junge sah im Vorbeilaufen, wie sie da einsam und verloren stand. »Neu hier?« fragte er aufmunternd. Sumitra nickte. Der Junge war groß und selbstbewußt; er trug ein Abzeichen, auf dem »AUFSICHT« stand. »Komm mal mit«, sagte er, »ich bring' dich zum Direktor, dem alten Jones.«

Und schon lief er weiter, und Sumitra hatte Mühe, mit ihm Schritt zu halten. Sie war nervös und beunruhigt. Sie haßte diese Schuluniform, die Motiben ihr gekauft hatte; sie war steif und kalt, und die harten Ecken des Hemdkragens stachen sie.

Der Junge klopfte an die Tür des Direktors. »Herein«, sagte eine tiefe Stimme. Sumitra stand regungslos und fing plötzlich an zu zittern. Der Junge schob sie ins Zimmer. »Eine Neue, Mr. Jones«, sagte er. »Vielen Dank, Paul, laß uns jetzt allein.« Paul grinste Sumitra an und schlug dann die Tür hinter sich zu, so daß sie zusammenfuhr und ihre

Schultasche fallen ließ. Der Direktor, der einige Papiere durchgeblättert hatte, stand hinter seinem Schreibtisch auf. Er hatte braunes Haar und sah sehr gutmütig aus. Er hob Sumitras Tasche auf, schüttelte ihr die Hand und bat sie mit einer Handbewegung, Platz zu nehmen. Dann zog er sich einen anderen Stuhl heran und setzte sich neben sie.

»Du bist sicher Sumitra Patel. Wir haben dich schon erwartet. Wir haben dich zur ersten Klasse eingeteilt, die Lehrerin ist Miß Watkins. Ich weiß, du bist im Augenblick noch etwas durcheinander – wie lange bist du jetzt in England?«

»Erst drei Wochen«, flüsterte Sumitra, und Tränen traten ihr in die Augen.

»Ich höre, du mußt an deinem Englisch noch fleißig arbeiten, und ich sehe, daß du jetzt etwas aus dem Gleichgewicht bist, aber du kannst durchaus auf unsere Geduld vertrauen, sofern du dir wirklich Mühe gibst. Ich bringe dich jetzt zu deiner Klasse und stelle dich der Lehrerin vor.«

Er führte sie über zahllose Korridore, treppauf und treppab, zu einem Klassenzimmer mit der Aufschrift 1C. Ohne weiteres machte er die Tür auf und trat ein. Sumitra folgte ihm schüchtern und blieb hinter ihm, so daß die Klasse sie nicht sehen konnte. »Guten Morgen, Miß Watkins«, sagte er gut gelaunt, »ich bringe Ihnen Sumitra Patel, Ihre neue Schülerin.« Er wandte sich zu Sumitra um, wobei er sie den neugierigen Blicken von dreißig Mitschülern freigab. »Du weißt, wo ich zu finden bin, wenn du Hilfe brauchst.« Sie hatte keine Ahnung, wo sein Zimmer war und wie sie es in diesem Irrgarten je finden könnte, aber sie lächelte höflich und nickte.

Miß Watkins strich ihr blondes Haar zurück und begrüßte sie mit einem Lächeln. »Wie war der Name noch?« fragte sie. »Ich habe ihn nicht ganz mitgekriegt.« Sumitras Herz schlug wie ein Hammer. Sie blickte schnell an sich hinab, ob ihr Brustkorb unter den Schlägen nicht erzitterte. Aber da war alles ruhig. »Sumitra«, sagte sie ganz leise, die Augen auf die gebohnerten Dielen gerichtet. Sie mußte plötzlich an den blanken Erdboden in ihrer alten Schule denken und kam sich ganz verlassen vor. Miß Watkins rief einem kleinen, schwarzhaarigen Mädchen zu: »Hilary, bitte kümmere dich etwas um Suma… Sutri… tut mir leid, sag's bitte noch einmal.« Sumitra wiederholte ihren Namen, und die beiden Mädchen lächelten sich an. »Hilf ein bißchen mit, daß Su… also daß sie sich hier gut einlebt«, sagte Miß Watkins. Hilary rückte etwas weiter, um Sumitra Platz zu machen.

»Also wie heißt du jetzt?« Sumitra nahm einen Stift und schrieb ihren Namen auf die Rückseite von Jayants Lageplan. Dabei fragte sie sich, ob ihr Vater und ihre Schwestern wohl die gleichen Schwierigkeiten hätten. Man mußte sich wirklich über die Leute hier wundern, daß ihnen ein derartig einfacher und geläufiger Name so schwer vorkam.

»Los, komm«, sagte Hilary, die aufstand und ihre neue Freundin an die Hand nahm. »Wir müssen heute zur Schulversammlung.«

»Was ist das?«

»Weißt du nicht, was eine Schulversammlung ist? Wirst du gleich sehen.«

Sie gingen im Gänsemarsch in eine große Halle, in der es nach Bohnerwachs, Schweiß und Kohl roch, und setzten sich mit untergeschlagenen Beinen auf den Boden. An den Wänden hingen Klettergerüste und Seile. Einen schrecklichen Augenblick lang dachte Sumitra, jetzt werde ein widerspenstiger Schüler gehenkt, aber dann wurde ihr klar, daß man die Seile für Kletterspiele brauchte. In ihrer Angst aufzufallen blickte sie starr zu Boden und verbarg das Gesicht hinter ihren herabhängenden Haaren. Die Halle füllte sich. So viele Kinder auf einmal hatte sie noch nie gesehen. Sie flüsterten und alberten herum, zogen sich an den Haaren, steckten sich Papierkügelchen in den Kragen, schubsten und kniffen sich, wenn die Lehrer nicht hinsahen.

Vorsichtig schaute Sumitra sich um. Es gab Schüler in allen Größen und Hautfarben. Etwa drei Viertel waren Europäer, der Rest war offenbar karibischer, afrikanischer, chinesischer, malaysischer und indischer Herkunft. Unter den europäischen Schülern fielen ihr einige mit griechischen, spanischen oder italienischen Gesichtszügen auf. Das Geflüster und Gekicher dauerte noch an, als der Direktor über die Liebe Gottes sprach; dann sangen sie Choräle zu Klavierbegleitung.

Soweit sie das verstehen konnte, wurde hier zum Gott Jesus gebetet. Miß Evans hatte ihnen von ihm erzählt; Sumitra hatte begriffen, daß Jesus dem Gott Schiwa glich, dem Herrn des Tanzes. Schiwas Tanz stellte drei Dinge dar, und Jesus war selbst auch eine Dreieinigkeit: Vater, Sohn und Heiliger Geist gleich Schwingung, Erlösung und Herz des Weltalls. Wie um ihre Überlegungen zu bestätigen, spielte die Lehrerin am Klavier jetzt mit Macht »Ja, des Tanzes Gott bin ich«.

»Und nun möchte ich noch ein neues Mädchen willkommen heißen.« Sumitra dachte, sie müsse in Ohnmacht fallen, sie hoffte, er meine vielleicht ein anderes Mädchen. »Sumitra Patel, bitte steh auf.« Sie saß regungslos, mit verschränkten Beinen. »Bitte, Sumitra«, sagte der Direktor. Hilary stieß sie an, und Sumitra stand auf; zweihundert Köpfe drehten sich zu ihr. »Willkommen in der Unterstufe. Wir werden dir helfen, wo wir nur können. Jetzt bitte alle aufstehen!« Erlöst sah sie, wie alle auf die Beine kamen, sie stand nicht mehr allein.

»Hast du dein Essensgeld dabei?« fragte Miß Watkins, als sie wieder ins Klassenzimmer kamen. Sumitra starrte sie an. Wie war das? Sie hatte ein paar *Chapattis* und etwas *Penda* in der Tasche. Sie verstand die Frage nicht.

Hilary kam ihr zu Hilfe. »Hast du Geld dabei?«

»Mein Fahrgeld, das ist alles.«

Hilary erklärte: »Sie hat nur noch das Geld für den Bus nach Hause. Hat's wahrscheinlich vergessen.« Miß Watkins machte sofort eine Notiz und schickte jemanden ins

Sekretariat. »Bring es morgen mit. Ich lege es heute für dich aus.«

Zu Hause hatte niemand etwas von Essensgeld gesagt. Motiben und Leela, mit dem Schulbetrieb nicht vertraut, hatten den Mädchen nur, wie üblich, einen kleinen Imbiß mitgegeben. »Wieviel soll ich denn mitbringen?« fragte Sumitra. Hilary schlug sich in gespielter Verzweiflung an die Stirn. »Weißt du denn gar nichts? 75 Pence die Woche.«

»Hast du die Turnhose dabei?« fragte die Lehrerin. Sumitra schüttelte abermals den Kopf. Sie hatte überhaupt nichts dabei. Sie gingen hinaus, um sich umzuziehen. Sumitra schaute geniert zu, wie die anderen Mädchen ihre Kleider ablegten und Turnsachen anzogen. Die Lehrerin lieh ihr eine viel zu weite Hose, und sie zog sich hastig um. Es schien keinen Menschen zu stören, halbnackt vor den Jungen herumzulaufen, und da es sie nicht einmal so in Verlegenheit brachte wie in der Halle aufstehen zu müssen, versuchte sie, ruhig und sicher zu wirken. Schließlich kannte sie die Spiele, und schnell laufen konnte sie auch.

Miß Watkins rief sie nach der Schule zu sich. »Nun, wie hat dir der erste Tag gefallen?« Sumitra wußte nicht, was sie sagen sollte, wie sie die Fremdartigkeit, die Formlosigkeit und die andersartigen Einstellungen zu den Dingen hätte erklären können. Sie lächelte schüchtern. »Ganz gut.«

»Du wirst hart arbeiten müssen. Du hast viel nachzuholen. Je eher du dein Englisch verbessern kannst, um so besser für dich. Ich werde dafür sorgen, daß in diesem Halbjahr die Turnstunden für dich ausfallen und daß du statt dessen Nachhilfeunterricht bekommst. Leih dir Hilarys Bücher aus, und schreibe ihre letzten Hefte ab. Die nächsten Monate werden sehr anstrengend sein. Aber ich bin überzeugt, du wirst es schaffen. Du wirst sehen, es lohnt die Mühe.« Sie lächelte ihr ermutigend zu.

»Vielen Dank, Miß Watkins.« Sumitra lief zur Haltestelle, es drängte sie, jetzt schnell nach Hause zu kommen und zu hören, wie es den anderen ergangen war. Sandya und Bimla hatten ja auch kein Essensgeld gehabt. Während der Bus durch die Straßen fuhr, an den hellerleuchteten Geschäften vorbei, dachte sie an die vielen verwirrenden Ereignisse in der Schule. Hilary hatte versprochen, ihr zu helfen und sie gleich nächste Woche zum Tee eingeladen. Ob Bap sie wohl hingehen ließe?

Sie sprang aus dem Bus und rannte so schnell, daß ihr die Tasche dauernd in die Seite stieß. Zu Hause waren Bimla und Sandya in Tränen aufgelöst. Kinder hatten sie »Blackie« gerufen. Sie hatten kein Essensgeld dabeigehabt. Aber dieses Schulessen wollten sie sowieso nicht, und überhaupt gingen sie nicht mehr zur Schule. In dieser ganzen Aufregung kam nun der Vater nach Hause, aufgebrachter als jemals zuvor. Ein paar Männer hatten sich im Bus über ihn lustig gemacht und ihn mit »Paki« angeredet.

Er wollte von Sumitra wissen, was das bedeutete. Aber ihr fiel dazu nur »Park« und »Paket« ein, das half ihnen auch nicht weiter. Sie spielte verschiedene Möglichkeiten durch, völlig verwirrt, bis Jayant zurückkam und es erklärte: »Das ist die Abkürzung von ›Pakistani‹, es ist als Schimpfwort gemeint.«

Da explodierte der Vater. »Bei uns zu Hause, da stand ich hoch über denen. Ich hatte ein eigenes Haus, ein eigenes Geschäft. Bloß weil sie Weiße sind, denken sie, sie wären was Besseres. Aber wir sind die Besseren. Denkt immer daran, ihr alle hier, wir sind besser als sie. Guckt sie euch an, lassen ihre Frauen halbnackt rumlaufen, gottlose Fleischfresser, Alkoholiker, Männer ohne Bildung und Frauen ohne Moral. Denkt daran, ihr Kinder, unsere Kultur ist Jahrtausende alt. Wir müssen stolz darauf sein. Viele unserer heiligsten und schönsten Schriften wurden geschrieben, als die hier noch in Höhlen hausten. Und was sie uns auch nachrufen, vergeßt nie, wir sind besser als sie.«

Die Kinder konnten es auch kaum vergessen, denn

diesen Ausbruch erlebten sie von nun an ihre ganze Kindheit hindurch mindestens einmal in der Woche.

Sumitra half bei der Zubereitung des Abendessens. Sie war völlig verwirrt. Zuerst, in Uganda, hatte man die Schwarzen verachtet; hier, in England, sollte man jetzt die Weißen hassen. Aber in Uganda waren die Weißen hochgeachtete Leute gewesen.

Irgendwo tief in ihrem Bewußtsein vibrierte etwas – die Antwort auf ihre Frage; sie war da, zum Greifen nahe, aber noch verstand sie sie nicht.

5

Die Familie war aufs angenehmste überrascht, in dem grauen Jammertal des englischen Winters einen goldenen Faden zu entdecken, der sie in ein lebendiges indisches Gesellschaftsleben führte. Farbenfrohe Wochenenden, Höhepunkte, auf die man hinlebte, trösteten über die trüben Arbeitswochen hinweg. Man ging in den Tempel, einen umgebauten Kirchenraum, mit Hinduschriften, Gebotstafeln und blumengeschmückten Bildern brahmanischer Gelehrter an den Wänden. Im Hintergrund saßen die Frauen, die gegenseitig ihre Saris bewunderten und schwatzten und kicherten. Mütter wiesen ihre Töchter, die teils verschüchtert, teils verärgert reagierten, auf passende Männer hin. War das letzte *Mantra* gesungen, wurde ein Imbiß gereicht, während die Gemeinde fröhlich plauderte.

Sonntags war Kino-Tag. Ein Kino in der Nähe zeigte Filme auf Hindi, und die Mädchen schwärmten von Shashi Kabur, dem neuesten Star. Mai kaufte Gujarati-Filmbücher voll grellbunter Szenenbilder, mit Anzeigen für Kosmetika, die die Haut heller, die Augen dunkler und das Haar glänzender machen sollten. Daraus erfuhren sie, daß es ein Geschäft namens Wembley Saris gab, und sie lasen auch eine Anzeige von einem Asia-Supermarkt: »Haben wir eingekauft kraft unglücklicher Zustände viele Menge von Augenlidschwärze, die wir die Verehrung haben, anzubieten zu traurigst reduzierte Preise.« Es haperte noch mit der Sprache.

Das Diwali-Fest ging vorbei. Man kaufte neue Kleider und tauschte Geldgeschenke aus. Sie gingen alle zum Tempel zum Tanzen. Einmal in der Woche gab es Tanz, und die Mütter und die verheirateten Schwestern wachten über die Mädchen. Sumitra und Sandya nahmen ihre Plätze im inneren Kreis ein, die Jungen bildeten darum herum den äußeren Kreis. Die Musiker saßen auf dem Boden. Wenn die Trommeln einsetzten, hatte Sumitra immer das Gefühl, der Rhythmus lösche alle ihre Gedanken aus. Die Tänzer hatten Stöckchen in der Hand, die sie im Vorbeigleiten aneinanderklicken ließen. Als das Tempo sich beschleunigte und *Sitar* und *Tabla* sich gegenseitig in einer Art von kunstvoll beherrschter Raserei jagten, wurden auch die Füße schneller, wurde das Klicken lauter.

Ein indischer Fotograf kam oft in den Tempel, ein Spezialist für Aufnahmen im alten Stil. Verzückt begeisterte er sich an seiner Kunst. »Jeder kann machen englische Foto«, höhnte er. »Einfach sagen ›Cheese‹ oder auf kleine Vogel gucken, Mister lächeln, fertig. Ein Tag, zwei Tag später, Mister kommen für Foto. Foto fertig. Foto sagen ›Cheese‹. Ah, keine Kunst, nix Qualität.«

Er machte eine Pause. »Ich studiere«, fuhr er fort, und hier brach seine Stimme, dieses Wort bekam eine schrille Betonung. »Ich studiere Objekt, mache lebendig. Sie sagen mir was wollen, Blumen, Wolke, Hände, dann ich: Gestaltung. Wie gemalte Porträt.«

Die Patels ließen sich also aufnehmen. Mai und Bap tauchten wie durch Zauber aus einer Wolke auf wie Wesen aus einem Science-fiction-Roman. Die vier Schwestern erschienen in der gigantischen Handfläche eines Riesen. Sumitra ließ sich auch allein fotografieren, wie sie dem

Innern einer Lotosblume entstieg. Mit Tuschen zart koloriert, wurden die Fotos als Postkarten verwendet, mit denen sie Freunde beglückten.

Doch trotz dieser farbigen Unterbrechungen blieb der Alltag des neuen Lebens, und die Eingewöhnung fiel ihnen sehr schwer. Bap haßte seinen Job und konnte sich nicht damit abfinden, kein eigenes Haus mehr zu haben. Er war daran gewöhnt, Gastfreundschaft zu gewähren, und nicht, welche zu empfangen. Mai war mutlos und krank und verbrachte die meiste Zeit im Bett. Während die Monate vergingen, mußte Sumitra immer mehr zu Hause einspringen. Kaum hatte sie nach der Schule die Haustür aufgemacht, hörte sie Motiben schon rufen: »Komm, Kind, Senfkörner mahlen!« oder »Heute muß geputzt werden« oder »Bügle mal das Hemd deines Vaters«.

Deswegen konnte sie sich erst in der Nacht an die Hausaufgaben setzen, nachdem Ela und Bimla ins Bett gebracht worden waren. Schon nach zehn Minuten schlief sie fast über ihren Büchern ein, völlig erschöpft und mit rot unterlaufenen Augen. Auch in der Schule konnte sie sich nicht konzentrieren; jetzt hätte sie zwar alles verstehen können, was die Lehrerin gesagt hatte, konnte sich aber an nichts mehr erinnern.

Mr. Jones rief sie zu sich ins Büro. »Wir haben uns sehr gefreut, wie gut du dich eingelebt hast, und ein paar deiner Arbeiten in diesem Schuljahr waren wirklich recht ordentlich. Aber verschiedene Lehrerinnen beklagen sich, daß deine Hausaufgaben nie vollständig sind und daß du in der Klasse nicht richtig aufpaßt. Ist irgendwas nicht in Ordnung?«

Sumitra betrachtete den Teppich, ein trübes Grau, leicht verschmutzt von nassen Stiefeln. »Das tut mir leid, Mr. Jones«, sagte sie. »Ich muß zu Hause viel helfen. Ich habe eigentlich kaum Zeit zu arbeiten.«

»Soll ich mal mit deinen Eltern sprechen?« fragte er. »Schließlich sind sie doch unter anderem auch deswegen nach England gekommen, damit du eine anständige Schulausbildung bekommst.«

Sumitra wickelte ihr Haar um einen Finger und zeichnete gleichzeitig mit dem Fuß ein Muster auf den Teppich. So gesehen, hatte er recht. Aber für die Familie war eben um halb fünf Schluß mit der Schule. Danach war sie nur noch für die Familie da. Wenn Hilary heimging, kam sie in ein saubergemachtes Haus, und das Essen stand auf dem Tisch. Sie ging dann in ihr Zimmer, um ihre Hausaufgaben zu machen, und danach durfte sie unten fernsehen. Aber in der indischen Gemeinschaft war es eben üblich, daß Frauen und Mädchen putzten und kochten. Die Zubereitung einer Mahlzeit konnte drei Stunden dauern. Hilarys Mutter kaufte sich einfach Brot vom Bäcker, aber *Chapattis* und *Pooris* mußten zu jeder Mahlzeit frisch gemacht werden.

Sie seufzte. Sie kam sich vor wie eine Brücke zwischen zwei Ländern, zwei Ufern, die sich niemals vereinigen, zwei Kulturen, die nie zusammenkommen können. Wie eine Brücke war sie, und jeder spazierte über sie von einem Land ins andere wie ein Tourist, der ein fremdes Land besucht, aber die strengen Gebräuche dort kaum begreift.

Sie strich ihr Haar zurück. »Vielen Dank, Mr. Jones, ich will lieber selbst mit ihnen reden.« Sie konnte sich den liebenswürdigen Direktor nicht in Leelas Haus vorstellen, wie er sich da höflich mit ihrem Vater unterhielt, während Ela zu seinen Füßen spielte und Bimla ihre Lieblingsfrage stellen würde: »Kennst du Präsident Amin? Den hasse ich.«

Sumitra versuchte, ihrer Mutter klarzumachen, daß sie sich mehr mit ihren Hausaufgaben beschäftigen müsse. Mai seufzte. »Dann mußt du eben mehr arbeiten«, sagte sie. »Wenn du Motiben geholfen hast, mußt du arbeiten.«

Fast zwei Jahre vergingen so. Ganz allmählich hatten sie sich dem neuen Leben angepaßt. Dann verkündete Leela, sie bekomme ein Baby. Das bedeutete, daß die anderen nicht länger bleiben konnten. Ohne es zu wissen, hatten sie unbewußt schon den westlichen Standard verschiedener Zimmer für verschiedene Zwecke übernommen. Das Haus war jetzt schon voll, aber mit einem Baby und all den Sachen, die nun zusätzlich gebraucht würden, wäre es einfach zu eng.

Eine Woche vor dem Geburtstermin wurde Sumitra zum Wohnungsamt geschickt. Sie nahm Sandya mit, was allerdings bedeutete, daß sie sich beide einen Schultag freinehmen mußten. Sie erzählten dem grauhaarigen Beamten, sie hätten bis jetzt monatelang im Haus eines Verwandten Unterschlupf gefunden. »Unsere Mutter ist krank und schwach, wir wohnen mit unseren zwei jüngeren Schwestern in einem Zimmer, und unsere Tante bekommt ein Kind.«

»Wißt ihr denn, daß viele schon seit Jahren auf der Warteliste stehen?« fragte der Beamte. Das wußten sie natürlich nicht, aber sie taten, als wüßten sie es, und sagten »Ja«.

»Ich kann euch nur einen Platz in einem Fremdenheim anbieten, wo wir in unserem Stadtteil obdachlose Familien unterbringen. Mehr kann ich leider nicht tun. Sagt das eurem Vater. Wenn er daran interessiert ist, schicke ich jemanden hin, der sich die Verhältnisse bei euch mal ansieht.«

Die Mädchen gingen hinaus und kamen sich sehr erwachsen und klug vor. »Ich habe etwas Geld dabei«, sagte Sumitra. »Komm, wir trinken eine Tasse Kaffee.«

Sandya protestierte. »Sumitra, was wird Bap dazu sagen?«

»Woher soll er es denn wissen?« fragte Sumitra ungeduldig.

Sandya grinste. »O. K.«

Sie gingen in ein Lokal. Zwei Gäste blickten kurz auf und kauten dann weiter. Der Kellner schaute hoch und pfiff. Die Mädchen taten, als hörten sie nichts. Er kam an ihren Tisch und wischte demonstrativ darüber, hinterließ dabei einen Fettstreifen und schüttelte Krümel über ihre Kleider. »Ja bitte, Madam?« fragte er Sumitra.

»Zwei Hamburger und Fritten und zweimal Kaffee bitte.«

»Aber Sumitra! Das ist Fleisch. Du weißt doch, wir dürfen kein Fleisch essen. Fleisch ist unrein.«

»Ich esse Fleisch in der Schule, Sandya. Mir schmeckt's.«

»Ich esse keins.«

»Also gut. Du kriegst dann eine Buttercremetorte.«

Sandya schaute ängstlich zu, wie Sumitra ihren Hamburger aufaß. Sie fürchtete, ihre Schwester würde zusammenschrumpfen und eines schrecklichen Todes sterben. »Schmeckt prima«, sagte Sumitra und drückte gelben Senf auf ihren Hamburger.

Sandya wischte sich etwas Creme vom Kinn. »Was ist ein Fremdenheim?«

»Keine Ahnung. Aber es kann nicht schlimmer sein als bei Motiben. Ich hab' das so satt, dauernd zu kochen und zu putzen. Und wenn ich das irgendwo anders machen muß, dann jedenfalls für vier Leute weniger.«

»Ich wette, Bap weigert sich«, meinte Sandya. »Du weißt ja, wie er an Leela hängt.«

Doch merkwürdigerweise hatte Bap keine Einwände. Sumitra sollte im Wohnungsamt anrufen, damit jemand vorbeikäme.

Mrs. Johnson war eine kleine, rundliche Person. Sie schaute sich um und war entsetzt. »Sechs Erwachsene und vier Kinder wohnen hier? Also das ist schon jetzt ein unmöglicher Zustand, geschweige denn, wenn das Baby erst da ist. Wo schlafen Sie denn alle?« Sie zeigten ihr die Matratzen, die nachts in die Küche gebracht wurden, und die Sessel und Sofas, auf denen sie im Wohnzimmer immer die Nacht verbrachten.

»Wir können Sie in ein Fremdenheim einweisen, das obdachlose Familien aufnimmt. Da bekommen Sie zwei Zimmer mit Frühstück. Es gibt da allerdings keine Kochgelegenheit, aber das Fremdenheim ist mit dem Bus nur zehn Minuten weit weg, und sicher lassen Ihre Verwandten Sie herkommen und hier essen. Wenn in ein paar Monaten eine Sozialwohnung frei wird, bekommen Sie eine Zuteilung.«

Sumitra übersetzte. Niemand war begeistert. Aber es war auch niemand dagegen. Es war eben wieder ein Wechsel, wieder ein Umzug. Das Fremdenheim war nur vier Meilen entfernt. Sandya sollte im September in Northfields anfangen, und Ela und Bimla würden dann zusammen in eine neue Grundschule gehen. Für einen tränenreichen Abschied bestand kein Anlaß, sie würden Leela und Jayant ja täglich sehen. Sie packten ihre Habseligkeiten zusammen und warteten auf die amtliche Aufforderung, umzuziehen. In der Nacht vor ihrem Auszug träumte Sumitra von Feuerwerk und Glaskugeln.

Antonio Moni war Italiener. Er hatte schwarzgelockte Haare und feurige Augen. Er freute sich über den plötzlichen Obdachlosen-Boom. Doch es machte viel Mühe, ein Fremdenheim zu führen mit immer neuen Gästen, die kamen und gingen. Man mußte dauernd lächeln, auch wenn die Füße schmerzten, Hauspersonal war schwer zu finden und zu halten, Bettwäsche mußte einmal wöchentlich gewaschen werden, Lebensmittel mußten bestellt, die Lieferungen überwacht werden; Gäste betranken sich, und Geschirr ging zu Bruch. Er war müde. Er hatte für eine Frau und drei Kinder zu sorgen. In manchen Monaten hatte er einen Verlust von Hunderten von Pfund wegen der hohen Unkosten.

Als das Amt ihm die entsprechenden Vorschläge machte, besprach er sich mit seiner Frau. Das Amt hatte ein Problem – nämlich die Unterbringung Hunderter, die sonst nirgendwo eine Bleibe finden konnten. Und er hatte ein Problem – nämlich wie er seine leeren Zimmer vermieten konnte. Die Lösung lag auf der Hand: Auch er konnte, wie schon so viele andere Bettenanbieter im Stadtteil, jetzt Obdachlosen ein Obdach geben.

Kaum waren sie sich einig, seine Frau und er, machte er sich an die Arbeit. Er bestellte verschiedene Hartfaserplatten beim Schreiner und sprach einen befreundeten Dekorateur an. Zusammen teilten sie die Zimmer ab, zogen neue Wände ein und tapezierten sie. »Jetzt können wir zwei Familien da unterbringen, wo ursprünglich nur ein Zimmer war. Ich komme doch noch zu meinem Hotel in Milano.« Er hatte dem Fürsorgeamt schon einen stark überhöhten Mietpreis genannt, der ohne weiteres angenommen wurde. Selbstverständlich dachte Antonio nicht an sich. Je mehr Zimmer er zur Verfügung stellte, um so mehr Familien konnten unterkommen.

Das Wohnungsamt schickte ihm Mieter. Zuerst kam Jean mit ihrem kleinen Jungen Francis. Sie war geschieden. Dann zog Rita ein, eine unverheiratete Mutter, mit einem Baby. Mit ihnen gab es überhaupt keine Schwierigkeiten, sie boten ihm sogar ihre Hilfe an, als sie sahen, wie überarbeitet er war, und für ihre Mitarbeit zahlte er ihnen wöchentlich ein paar Pfund.

Dann aber gab es Ärger. Eine pöbelhafte Familie wurde eingewiesen – ein betrunkener Vater, eine neurotische Mutter, die mitten in der Nacht nackt durchs Haus lief und die normalen Gäste vertrieb, und zwei unbezähmbare Kinder, ein Ärgernis für die Stammgäste, die Vertreter und Geschäftsleute aus dem Norden, die zu Tagungen hierherkamen. Einer seiner liebsten Besucher, ein belgischer Arzt, der immer im Fremdenheim einkehrte, wenn er in London Vorträge hielt, zog in ein anderes Hotel mit den Worten, hierher komme er nie mehr zurück.

Antonio sprach mit der Familie. Sie beschimpfte ihn. Er rief das Amt an. Sie beschwichtigten ihn. Nach zwei weiteren sorgenvollen Tagen, als wieder ein Vertreter seinen Aufenthalt kurzerhand abbrach, drohte Antonio dem Amt an, er werde nie mehr eine obdachlose Familie aufnehmen.

Die lästige Familie wurde sogleich in ein neues Hotel eingewiesen und machte alsbald im ganzen Viertel die Runde durch die Herbergen, die Bett und Frühstück boten. Antonio konnte wieder frei atmen. Allerdings hatte er zwei gute Kunden verloren. Nach diesen Erlebnissen waren die Patels ein wahrer Segen. Die vier Mädchen waren hübsch und wohlerzogen. Die Eltern waren ruhige, höfliche Leute. Mr. und Mrs. Patel übernahmen ihr abgeteiltes Zimmer ohne Widerrede, sie schienen sogar erfreut. Für die Mädchen wurde ein größeres Zimmer bestimmt; Ela und Bimla mußten in einem Doppelbett schlafen, und Sumitra und Sandya bekamen je ein eigenes Bett.

Monatelang hatten sie auf dem Boden geschlafen, da war ein Bett jetzt der reine Luxus. »Nur *eine* Vorschrift!« sagte Antonio. »Auf dem Zimmer wird nicht gekocht! Feuerpolizeilich verboten, verstehen Sie? Und kein Lärm mehr nach elf. Das Fernsehzimmer ist unten, es steht zur Verfügung der Gäste. Frühstück gibt es von halb acht bis neun.«

Er lächelte sie aufmunternd an, kniff Ela ins Kinn und ging. Sie saßen alle im Zimmer der Mädchen.

Sumitra übersetzte, was er gesagt hatte. Mai war müde. Sie packte den Imbiß aus, den sie von Leela mitgebracht hatte, und Sumitra holte die Teller hervor. Sie saßen auf den Betten, tranken Orangensaft aus den Zahnputzgläsern und schauten sich um.

»Können wir hier wohnen bleiben, Mai?« fragte Ela. »Das gefällt mir. Besser als bei Leela. Wir haben sogar Waschbecken hier.«

»Du Dummes.« Bap lachte. »Hier müssen wir sogar wohnen, jedenfalls ein paar Wochen lang. Dann bekommen wir eine richtige Wohnung. Das Amt hat das gesagt.«

Aber sie wußten nicht – und hatten auch keinen Verdacht –, daß das Amt jedem auf der Warteliste das gleiche sagte. Schon seit Jahren. Die Wahrheit wäre allzu niederschmetternd gewesen. Leuten, die unter den gräßlichsten

Bedingungen wohnen, unter wasserdurchlässigen Dächern, in rattenverseuchten Räumen, überfüllten Häusern ohne Toiletten – denen kann man einfach nicht sagen, daß gar nicht genug Häuser gebaut werden können und daß sie unter Umständen den Rest ihres Lebens hier zubringen müssen. Da ist es leichter zu sagen, sie könnten in ein paar Monaten umziehen. So wird das Elend zeitlich begrenzt und erträglicher gemacht.

Die Patels wußten auch nicht, daß sie als offiziell anerkannte Flüchtlinge bevorzugt wurden. Sie wußten nicht, daß Engländer in feuchte Wohnungen ohne sanitäre Einrichtungen hausen mußten – genausowenig wie sie gewußt hatten, wie die Eingeborenen in Uganda lebten. Das war außerhalb ihrer Welt, es hatte sie nie beschäftigt. Das einzige, was sie wußten, war: Einmal waren sie reich gewesen, und jetzt waren sie arm. Einst hatten sie ein eigenes Haus besessen, und jetzt hatten sie kein Heim. Obdachlos waren sie laut amtlichem Bescheid, und obdachlos zu sein war – was sie auch nicht wußten – die einzige Möglichkeit, eine Wohnung vielleicht schon in einem Jahr statt in dreißig Jahren zu bekommen.

Sie kannten das System nicht. Sie hatten es nicht gemacht. Aber ihnen würde man die Schuld daran geben.

Sumitra wusch die Teller ab. Sie schaute umher, wo sie abtropfen könnten. »Sandya, leg ein Tuch über den Toilettentisch«, sagte sie, »das wird unser Ablaufbrett sein.« Sie sagten Bap und Mai gute Nacht und gingen früh ins Bett. Aber sie konnten nicht schlafen, dafür war das Haus zu hellhörig. Das Fernsehzimmer war direkt unter ihnen, und einer der Gäste war offenbar taub. Durch die dünnen Bodenbretter hörten sie die »Nachrichten um 10«, einen Western, die »Nachrichten um 11«, die »Musik vor Mitternacht« und das »Schlußwort zum Tage«.

Leute stapften die Treppen hinauf und hinunter. Geräusche drangen durch die Trennwand. Endlich schliefen sie ein.

6

Sumitra begriff sehr bald, daß die Gäste des Fremdenheims sich in zwei Klassen einteilen ließen: die Obdachlosen und die »Normalen«. Die »Normalen« waren den ganzen Tag weg und trafen sich nach ihrer Rückkehr abends mit Tüten voller Pommes frites und Bierdosen im Aufenthaltsraum. Da sie immer nur kurze Zeit blieben, brauchten sie nicht auf dem Zimmer zu kochen oder Wäsche zu waschen.

Die Obdachlosen, andererseits, konnten gar nicht anders, als die Hausordnung zu übertreten. In jedem Zimmer hing ein gedrucktes Schild: WEGEN FEUERPOLIZEILICHER VORSCHRIFTEN IST ES VERBOTEN 1. IM ZIMMER ZU KOCHEN, 2. KLEIDER ÜBER DIE HEIZKÖRPER ZU HÄNGEN. Das Verbot hing überall neben der bekannten Aufforderung, das Zimmer am Abreisetag bis Mittag zu räumen. Allgemeine Bedürfnisse und kleine Kinder zwangen die Obdachlosen, sich über das Verbot hinwegzusetzen. Mit übelriechenden Windeln und nassen Strampelhosen konnte man nicht nur einmal in der Woche zur Wäscherei gehen; man wusch sie jeden Abend aus und hängte sie zum Trocknen über die Heizung.

Manche Familien bereiteten sich vollständige Mahlzeiten in der Abgeschlossenheit ihrer Zimmer. Rita hatte sich einen Primuskocher ausgeliehen. Motiben gab Mai einen Elektrokocher mit, um Teewasser zu machen. Unternehmungslustige benutzten eine Camping-Kochausrüstung. Jemand versuchte sogar, ein Huhn in einem Emaillierofen zu braten. Nach dem Essen wurden die verbotenen Geräte in Schränken verstaut, unter Socken, Blusen, Pullovern oder Saris, zusammen mit Konserven, Milchpulver und Zucker. Besonders wichtig war ein Luftverbesserer. Wenn man Antonios Auto auf dem Parkplatz ankommen hörte, wurde der Geruch brutzelnder Würstchen schnell mit gesprühtem Flieder- oder Lavendelduft überdeckt; die Pfanne verschwand unter dem Bett und wurde samt dem leicht angestaubten Inhalt erst wieder vorgeholt, wenn die Luft wieder rein war.

Zuweilen ängstigte Antonio der Gedanke, die Feuerpolizei könne einmal sein Haus inspizieren und seine Lizenz einziehen; dann machte er stichprobenartige Kontrollen. Einmal entdeckte er Ritas Elektrokessel und beschlagnahmte ihn mit düsteren Warnungen vor den Folgen, wenn er jemals wieder so etwas finden sollte. In der darauffolgenden Woche tranken die Obdachlosen Orangensaft oder Milch und aßen Brot und Käse, aber allmählich ließ Antonios Wachsamkeit wieder nach, und sie kehrten zu ihren gesetzwidrigen Mahlzeiten zurück.

Jean war so eine Art Anführerin der »Obdachlosen«. Zum einen war sie am längsten da und hatte jeden Neuankömmling auf Herz und Nieren geprüft und über die Gesellschaftsordnung im Hause aufgeklärt. Zum anderen lag ihr Zimmer zur Straßenseite hinaus, und vom Fenster aus konnte sie beobachten, wer kam, Gäste oder herumschnüffelnde Sozialarbeiter. Als Mrs. Johnson mit den Patels angekommen war, hatte Jean in den Korridor gespäht und gemurmelt: »Gott schütze uns, jetzt bekommen wir diese Pest ins Haus.« Es war gerade laut genug, daß Sumitra es noch hören konnte. Keine von Jeans Bemerkungen – »Diese Kanaken und Nigger, kommen her und schnappen uns die Jobs und die Häuser weg« – war jemals direkt an jemanden gerichtet oder laut genug, um als Beleidigung zu gelten. Aber was immer sie vor sich hinmurmelte – etwa wenn eine der Schwestern im Aufenthaltsraum auftauchte oder als sie ihren Sohn Francis von den Bonbons wegzerrte, die ihm Ela angeboten hatte –, sie machte es jedenfalls bei jeder Gelegenheit klar, daß die Patels unerwünscht waren.

Eines Abends schickte Mai Sumitra, um noch Kekse zu kaufen. Jean stand im Flur und sprach mit einer mageren Frau, die ein Baby bei sich hatte; Tragetaschen mit ihren Habseligkeiten standen herum.

»Wie heißt'n du?« fragte Jean.

»Maria«, sagte die Frau müde.

»Was haben sie denn gesagt, wie lange du hier bleibst?«

»Paar Monate.«

Jean lachte bitter und sah im Hochblicken Sumitra die Treppe hinunterkommen. »Da hast du dich aber geschnitten, Mädchen, dafür hast du die falsche Hautfarbe. Die Nigger hier, die sind lange vor dir und mir dran. Ich sitz' hier schon fünf Monate – und keine Chance.«

Sie drehte sich ruckartig um und brachte Maria zu ihrem Zimmer. Sumitra stand bewegungslos auf der Treppe, und der Zorn beschleunigte ihren Herzschlag. Warum war Jean so böse, so abscheulich? Warum nannte sie sie Kanaken und Nigger? Bloß weil sie blond war und weiß, war sie doch nichts Besseres als Sumitra. Sie mußte an Baps Worte denken: »Sie glauben, sie sind besser als wir, nur weil sie Weiße sind. Aber wir, wir sind besser als sie, als diese gottlosen, schmutzigen, ungebildeten Leute.« Er hatte recht, diese Leute waren tatsächlich schlimm.

»Was ist los?« fragte Martin, ein junger Lehrer, der in einem Bodenzimmer wohnte, als er zur Haustür hereinkam. »Du siehst aus, als wolltest du einen umbringen.«

»Würd' ich auch gern.« Sumitra versuchte zu lächeln, brach aber statt dessen in Tränen aus.

»Holla, holla, was ist denn los mit dir?« fragte er sanft. »Was ist passiert?«

»Ich halte das nicht mehr aus. Sie sind alle so böse zu uns, nennen uns Blackie und Paki. Ela will im Sommer nur noch Strumpfhosen und lange Kleider mit langen Ärmeln tragen, damit man nicht sieht, wie braun sie ist. Das macht einen doch verrückt. Das ist nicht fair.«

Martin lächelte sie an. »Übertreibst du nicht ein bißchen?« fragte er. »Ich zum Beispiel, bin ich böse? Nicht jeder hat diese Vorurteile. Du mußt dir vorstellen, diese Leute sind verzweifelt und wollen wieder in eine anständige Wohnung, die Verhältnisse machen sie krank. Und deswegen sind sie bitter und grausam. Sie sind nur eifersüchtig auf dich, weil du jung und hübsch bist und dein

Leben noch vor dir hast. Eigentlich müßtest du Mitleid mit ihnen haben.« Er schlug ihr aufmunternd auf die Schulter und ging in sein Zimmer.

Sumitra seufzte, als sie zum Einkaufen ging. Zwei Mädchen gingen flüsternd und kichernd vorbei; sie lachten über sie, weil sie braun war, davon war Sumitra überzeugt. Auf die Hauswand vom Postamt hatte jemand hingeschmiert: ENGLAND MUSS WEISS BLEIBEN! Sie fühlte sich verloren und bedroht. Martin hatte keine Ahnung. Wie die meisten Lehrer, die sie kannte, hatte er offenbar kein Gespür für den verborgenen Rassenhaß, der unter der glatten Oberfläche des Alltags brodelte. Ihre Schwestern spürten ihn, ihre indischen und afrikanischen Freunde nahmen ihn wahr, morgens, mittags und abends. Klein-Ela und Bimla wurden in ihrer Schule von anderen Kindern beschimpft, und wenn sie das den Lehrern meldeten, bekamen sie zur Antwort: »Hört gar nicht hin. Welche Hautfarbe ihr habt, spielt doch keine Rolle.« Aber die Lehrer waren leider nie da, wenn kleine Rohlinge auf dem Schulhof ihre Schwestern Blackie nannten, schlugen und zum Weinen brachten. Ingrimmig ging Sumitra nach Hause.

Als sie ins Haus trat, hörte sie ein weinendes Baby und sah Maria, die Neue, in der Halle, wie sie mit dem Baby auf den Armen ihre verschiedenen Bündel ins Zimmer befördern wollte. »Hallo!« Sie lächelte. »Könntest du mir mal ein bißchen helfen?« Verblüfft packte Sumitra mit an und trug ihr die schäbigen Taschen und Packen den Korridor hinab. »Danke dir, mein Mädchen«, sagte Maria. »Wie heißt du?« Sumitra nannte ihren Namen und wartete auf das unvermeidliche »Bitte noch mal und langsam«. Aber es kam nicht. »Ach, mit einer Sumitra hab' ich mal gearbeitet. Sie ist nach Amerika ausgewandert, aber wir schreiben uns noch. Kommst du mich mal besuchen, wenn ich meine Siebensachen unter Dach und Fach habe?« Sie legte das Baby in das ungemachte Kinderbett. »Das ist Sally. Kommst du vielleicht morgen?«

»O. K.«, sagte Sumitra. Sie rannte mit ihren Keksen die Treppe hinauf und war so glücklich wie seit Tagen nicht.

Tags darauf nach der Schule klopfte Sumitra bei Maria. »Komm rein!« Maria begrüßte sie mit breitem Grinsen. Sally winkte vergnügt mit beiden Händen und griff mit festem Fäustchen in Sumitras langes Haar. »Setz dich doch!« Sumitra befreite ihr Haar und schaute sich nach einer Sitzgelegenheit um. Das Zimmer war gerammelt voll mit Möbeln, Bett und Kinderbett, Sesseln und Stuhl. Alle übrigen Zwischenräume waren mit Babysachen ausgefüllt – Milchflaschen, Löffelchen, Töpfen, Lätzchen, Spielsachen. Sumitra sah mit einem Blick, daß Vorschrift Nr. 2 schon übertreten wurde; auf einem Wäschegestell trockneten Windeln, über der Heizung hingen Babysachen. Alles in allem war es eine Atmosphäre wie in den Tropen: Maria strahlte Wärme aus und leuchtete wie die Sonne, und aus den dampfenden Windeln stieg ein süßlich-schwerer Duft auf, ein Gemisch von Babygeruch und Luftverbesserungs-Spray. »Du mußt entschuldigen«, sagte Maria, »aber es ist eben schwer, alles unterzubringen.« Sumitra nahm ein Kleiderbündel vom Stuhl und setzte sich hin.

»Ich dachte schon, bei uns wäre es voll«, meinte sie. »Aber hier ist es noch schlimmer.« Sally zerrte eine Schachtel unter dem Kinderbett hervor und gab Sumitra ein Spielzeug nach dem anderen in die Hand. Maria schloß den Elektrokessel an und verteilte Pulverkaffee in die Zahnputzgläser. »Na ja, wir sind jetzt wenigstens unter uns, und mein Alter kann mich hier nicht mehr verrückt machen. Wie lange bist du schon hier?«

»Einen Monat ungefähr. Wir waren vorher fast zwei Jahre lang bei Verwandten in Highgate. Ursprünglich waren wir in Uganda, wir sind da geboren, ich und meine Schwestern. Vater und Mutter sind aus Indien. Ich war elf, als wir aus Uganda weggingen. Jetzt bin ich fast vierzehn.« Sie erzählte Maria von dem Leben in Afrika und den Verletzungen und Erschütterungen der letzten Jahre. Sie erzählte von ihren Schwierigkeiten im letzten Jahr in Uganda, von den Spannungen im Haus ihrer Verwandten durch den langen Aufenthalt und von dem Ärger, der sich durch die Gäste des Fremdenheims ergab. Maria hörte zu, ohne zu unterbrechen, stellte nur hie und da Fragen und half etwas nach. Sumitra redete und redete. Und während sie ihrer Qual und ihrem Zorn freie Bahn ließ und ihre Befürchtungen und Hoffnungen äußerte, mußte sie unterschwellig denken: ›Diese Frau hört mir zu, sie opfert mir Zeit.‹ Das hatte noch nie jemand gemacht.

»Und wie sind Sie hier gelandet?« fragte Sumitra schließlich, als sie merkte, daß sie jetzt fast eine Stunde lang über ihre eigenen Probleme geredet hatte. Sie sah Maria voll an und stellte dabei fest, wie ungewöhnlich hager sie war. Ihre schwarzen Haare standen in einem auffallenden Gegensatz zu ihrem bleichen Gesicht. In ihren blauen Augen war Angst.

»Ich? Ach, die alte Geschichte. Ich hab' den falschen Mann gekriegt. Dave hat für einen Wein-Importeur gearbeitet. Als Sally auf die Welt kam, hatten wir die Chance, in Frankreich zu leben. Da fing er an zu trinken, war ja alles vorhanden, Gelegenheit macht Diebe, und dann trank er nicht mehr, er soff. Ein Freund besorgte mir die Fahrkarte, und ich fuhr mit Sally heim. Seit drei Wochen sind wir zurück. Ich wußte nicht wohin, meine Eltern sind tot, und meine Tanten wollten gar nichts von mir wissen, die denken, eine Frau muß mit ihrem Mann durch dick und dünn gehen. Na ja, ich hab' bei Freunden gewohnt, immer wieder gewechselt, bloß nicht zu lange bei einem bleiben. Aber mit einem Baby kriegst du kein Zimmer. Also dann ging ich in meiner Verzweiflung gestern zur Fürsorge, ich dachte, sie könnten mir vielleicht Adressen geben, wo Zimmer zu mieten sind. Aber sie sagten, ich sei obdachlos und dazu noch mit Kind, und da haben sie mich hergebracht. Für ein paar Monate, haben sie gemeint. Aber wenn man die Leute so hört, dauert's wohl viel länger.«

»Ja«, stieß Sumitra bitter hervor, »wegen uns Kanaken. Ich hab' gehört, was Jean gesagt hat.« Sally hatte unter Sumitras Stuhl mit ihrer Eisenbahn gespielt. Jetzt krabbelte sie hervor und drängte auf Sumitras Schoß. Sumitra hob sie hoch, und Sally griff entzückt nach den langen, schwarzen Haaren.

Maria seufzte. »Mein Papa hat immer gesagt, das Leben ist hart, also versuch, es ein bißchen zu ändern, damit du den anderen etwas Besseres hinterläßt. Manche nennen dich Kanake. Und manche nennen mich Abschaum. Manche hängen's dir an, daß sie keine Wohnung und keinen Job bekommen. Und manche hängen's mir an. Ich will damit sagen, das ganze System stimmt nicht. Mit Schimpfen und Streit erreichst du gar nichts. Aber das Leben muß sich ändern – deinetwegen, meinetwegen und Sallys wegen. Ich will nicht, daß sie in einer Welt aufwächst, die verlogen und gemein ist. Und sich über die blöden Reden der andern aufzuregen, bringt dir auch nichts. Du mußt dich einfach hinstellen und allen zeigen, daß du dieselben Bedürfnisse und Rechte hast wie jeder andere auch.«

Sie bückte sich und hob ihre Tochter hoch. Sumitra schrie auf, als ein Haarbüschel in Sallys Fäustchen blieb. Aber sie beruhigte Maria sofort, es sei nichts passiert, und ging lächelnd zur Wohnung hinauf. Endlich hatte sie jemanden gefunden, mit dem sie reden konnte, jemanden, der sich selber um Änderungen bemühte, statt sich nur von den Umständen ändern zu lassen. In der Folge klopfte Sumitra nun mehrmals wöchentlich bei Maria an. Endlich war da jemand, der zuhören konnte, eine hagere, dunkelhaarige Frau in einem Fremdenheim für obdachlose Familien, Tausende von Meilen entfernt von dem Ort, wo sie angefangen hatte zu suchen.

7

Zwar sagte Bap: »Ihr werdet sehen, eines Tages haben wir ein eigenes Heim.« Aber er glaubte selber nicht recht daran. Tief in Gedanken versunken saß er jeden Abend vor dem Schrein, den sie aus einer Schuhschachtel gebastelt hatten; mit Klebeband war das Bild Krishnas darauf befestigt, und darüber verlief der Schriftzug des Schuhgeschäfts. Bei jeder Morgen-Anbetung brannten in *Ghee* getauchte Baumwolldochte in ihren Schälchen. Hätte Antonio das gewußt, wäre sofort ein neues Verbot erlassen worden: DAS ABBRENNEN IN GHEE GETAUCHTER BAUMWOLLDOCHTE IST VERBOTEN! FEUERPOLIZEILICHE VORSCHRIFT. Aber das einzige, was auf die Anwesenheit der Patels hinwies, war der zarte Geruch der Sandelholz-Räucherstäbchen, der durch das Treppenhaus zog.

Das Leben war Bap und Mai noch nie so freudlos vorgekommen. Der Aufenthalt im Fremdenheim war für sie die erste nachhaltige Begegnung mit der schändlichen Kultur der Weißen. Alle Übel der westlichen Zivilisation – hier waren sie zu sehen: unverheiratete Mütter, Frauen, die ihren Männern weggelaufen oder von ihnen verlassen worden waren, Familien, die sich haßerfüllt stritten. Selbst ganz normale Gäste kamen spät nachts betrunken heim, knallten mit den Türen, fielen die Treppe hinauf, fluchten laut und erbrachen sich. Heiseres Lachen erschallte. In aller Frühe ging Bap aus dem Haus; müde schleppte er sich zur Bus-Haltestelle und wartete unter dem hingeschmierten PAKIS RAUS! Er war ein ruinierter Mann, konnte seiner Familie nicht einmal ein anständiges Zuhause verschaffen und tat eine Arbeit, die seiner nicht würdig war. Er konnte seine Familie nicht mehr standesgemäß ernähren, und seine Selbstachtung litt darunter.

Mai blieb den ganzen Tag auf ihrem Zimmer, sie war zu krank und zu niedergeschlagen, um die neue Sprache zu erlernen. Wenn Ela und Bimla aus der Schule heimkamen, ging sie mit ihnen zu Leela. Da fühlte sie sich sicher. Hier wußte sie, was man von ihr erwartete, hier mußte sie nicht jedes Wort auf die Goldwaage legen. Die Mädchen spielten mit Trupti, Leelas Baby. Wenn die ganze Familie zusammen war, heimgekehrt von der Schule und der Arbeit, aßen sie gemeinsam auf einer Insel des Friedens, in einem geschützten Hafen, den sie allabendlich wieder verlassen mußten, um in die fremde Welt zurückzugehen. Die Feindseligkeit, die sie spürten, ängstigte Bap und Mai, deswegen hingen sie an ihren Gebräuchen und klammerten sich an ihre Traditionen. Sie wohnten im Hotel auf der einen Seite, und Jean wohnte auf der anderen, und dazwischen war ein Abgrund aus Angst. »Mich trifft diese ganze Angst«, dachte Sumitra. »Jean sagt dauernd, ich soll weggehen, und Mai sagt, ich soll bei ihr bleiben. Und beides geht nicht. Ich muß erwachsen werden und mein eigenes Leben leben.«

»Guta Morgen, alles gutt?« fragte Josefina, Antonios Frau, wenn sie freitags frische Bettwäsche brachte. Mai antwortete leise, während sie ihr die gebrauchte Wäsche für die Hotelwäscherei übergab. Das war ihre einzige Berührung mit der Außenwelt. Sie verharrte wie eine Prinzessin im Turm. Vom Fenster aus beobachtete sie unten in dem Seitensträßchen die Leute, die kamen und gingen. Neidvoll schaute sie zwei Freundinnen zu, die sich da trafen, die vollen Einkaufstüten absetzten oder ihre Kinderwagen beim Gespräch locker hin und her schoben. Sie kam sich vor wie in einer Falle. Sie lauschte an der Tür, bis der Korridor mit Sicherheit leer war, bevor sie auf Zehenspitzen zum Bad lief; sie spähte auch vorsichtig aus dem Bad, bevor sie wieder ins Zimmer eilte. Wenn sie ein Bad nehmen wollte, legte sie einen Schwamm unter den Wasserstrahl, damit sich niemand über den Lärm beklagen konnte, und sie badete hastig, vor lauter Angst, es könnte jemand ungeduldig an die Tür klopfen.

Selbst in der Sicherheit ihres eigenen Zimmers fühlte sie sich bedroht. Die Zwischenwand hatte sich verzogen, und manchmal wurde nebenan geraucht. Hilflos und verzweifelt sah sie auf den Rauch, der da wie durch Zauberei durch die Wand quoll und sich in ihrem Sari festsetzte. Frommen Hindus war das Rauchen verboten, und um den widerwärtigen Geruch zu überdecken, zündete sie ein Räucherstäbchen an und sah den blauen Rauchsäulen des *Agar bathi* zu, wie sie zur Vergeltung durch den Spalt ins andere Zimmer zogen – ein stiller Protest, ihr eigener kleiner Heiliger Krieg.

Mai betrachtete sich im Spiegel. Sie war abgemagert, und unter den Augen hatte sie große schwarze Ringe. Sie weinte. Niemals zuvor war sie allein gewesen, immer hatte sie die Familie, Freunde und Dienstboten um sich gehabt. Sie war Teil einer Gemeinschaft gewesen, in der man sich umarmte, in der alle die gleichen Gewohnheiten und Ansichten hatten. Indische Besucher in ihrer Heimatstadt wurden immer sofort willkommen geheißen, gespeist, befragt und in den größeren Kreis aufgenommen. Aber in diesem fremden Land hatte sich noch keine Tür vor ihr geöffnet. Sie sah den feindseligen Ausdruck auf den Gesichtern anderer obdachloser Familien. Infolgedessen verschloß sie die Tür und wartete auf das Ende des Tages. Überall in England warteten Inderinnen hinter geschlossenen Fenstern auf den Abend, und diejenigen, die ihnen vielleicht zugelächelt hätten, wußten nicht einmal, daß es sie gab.

Jeden Tag murmelte sie vor sich hin: »Ich war einmal glücklich, jetzt bin ich traurig. Ich war einmal stark, jetzt bin ich schwach. Mir war einmal warm, jetzt ist mir kalt.« Sie sang diese Wörter wie ein *Mantra,* immer von neuem.

Manchmal, samstags nachmittags, wenn der Aufenthaltsraum meist leer war, kam Bap hinunter, um sich im Fernsehen die Ringer anzuschauen. Ganz mitgerissen saß er dann auf dem Stuhlrand, rief den Ringern Ratschläge auf Gujarati zu und machte unwillkürlich ihre Bewegungen nach. Manchmal überredeten die Mädchen Mai, sie zu begleiten, dann saß sie zusammengekauert in einer Ecke. Hie und da kamen Martin, Maria und Sally dazu, setzten sich zu den Mädchen und plauderten mit ihnen. Aber wenn Jean oder Rita ihre Köpfe hereinsteckten, um zu sehen, wer da war, dann konnten sie gemurmelte Bemerkungen hören wie »Verdammt voll, da gehen wir später rein«. Ähnlich war es eines Sonntags morgens, als sie sich das indische Programm »Nayi Zindagi, naya Jivan« ansahen. Als Jean aus dem Frühstückszimmer kam und sich für den Kirchgang zurechtmachen wollte, konnte man hören, wie sie zu Rita sagte: »Die haben ja sogar ihr eigenes Scheiß-Programm.« Und manchmal kam sie herein, starrte verständnislos auf den Bildschirm und wütend auf die Familie, bevor sie hinausstürzte.

Es war Sumitra rätselhaft, auf welche Weise Menschen ihre Gefühle übermitteln konnten. Vielleicht Telepathie, dachte sie, oder vielleicht auch der Rest eines animalischen Instinkts, jener Kraft, die etwa einen Vogelschwarm mitten im Flug abdrehen läßt. Bei manchen Menschen, wie bei Maria und Martin, spürte man die unmittelbare Wärme. Und dann gab es diese kalte, böse, stumme Ausstrahlung von Jean und Rita oder auch von wildfremden Leuten auf der Straße, ohne daß sich ihr Gesichtsausdruck im mindesten verändert hätte. Auch Sumitra konnte von einem Signal auf ein anderes umschalten, ohne zu wissen, wie das funktionierte. Ganz oben in ihrem Kopf erzeugt, gingen Wärme oder Kälte, Liebe oder Haß von ihr aus. Sie sendete Nachrichten wie ein Raumfahrer in einem Science-fiction-Film. Von Jean und Rita hielt sie sich fern, denn die sahen unfreundlich aus, und sie fühlte sich zu Maria hingezogen. Jean signalisierte: »Geh weg! Ich habe dichtgemacht. Ich will nicht gestört werden.« Die Signale von Maria lauteten: »Komm rein und erzähle von dir. Wärme dir die Hände an meinem Feuer.« Vieles war rätselhaft geworden. »Mir ist zumute«, vertraute Sumitra Maria an, »als suchte ich mich selbst, irgend etwas, was mir erklärt, wer ich überhaupt bin. Das ist manchmal wie ein Seiltanz – immer wenn ich dicht vor dem Ziel bin, macht jemand eine Bemerkung über Inder oder Asiaten oder Einwanderer, und ich stürze ab. Kannst du mich verstehen, Maria? Bin ich Sumitra, ein Mädchen, vierzehn Jahre alt – oder eine statistische Zahl oder ein Etikett?«

Ihre weißen Schulfreundinnen waren wohl auch auf einer ähnlichen Suche – aber ganz sicher waren sie nicht solchen Konflikten ausgesetzt. Hilary konnte alles mit ihren Eltern besprechen, die ihr bei den Hausaufgaben halfen und ihr viel Freiheit ließen. Ihr war erlaubt, in Discos zu gehen, an Wochenenden bis halb elf wegzubleiben, bei Freundinnen zu übernachten und auf Partys zu gehen. Aber Sumitra und Sandya durften nicht einmal eine Einladung zum Tee annehmen. Da war jedes Wort verschwendet. Mai und Bap beharrten darauf: »Nein. Das geht nicht. Wir kennen sie nicht. Nein, das sind keine Inder. Nein, Discos sind unmoralisch. Da wird geküßt. Das ist nichts für uns. Nichts für euch. *Nati, nati,* nein, nein.« Rückblickend stellte sie fest, daß es auch in Uganda schon so gewesen sein mußte, nur hatte sie da den gesellschaftlichen Druck nicht gespürt. Die Hautfarbe der Spieler hatte sich geändert, aber das Spiel war dasselbe geblieben. Man hatte innerhalb seines Kreises zu bleiben. Mai machte das nichts aus, sie war ganz zufrieden innerhalb des eisernen Rings, aber Sumitra konnte sich schließlich nicht für den Rest ihres Lebens in einem Zimmer vergraben. Manchmal wünschte sie, sie könnte diesen Kreis in Stücke schlagen und einfach ausbrechen.

Auch durch die Schule waren sie kurzgehalten. »Du mußt fleißig lernen«, sagte Mai. »Deswegen sind wir ja hergekommen, damit ihr Mädchen eine gute Schulausbildung bekommt. Du mußt schön lernen und Prüfungen bestehen, dann kannst du einen tüchtigen Mann heiraten, bist reich und hast ein gutes Leben.«

Doch wo sollten Sumitra und Sandya lernen? Die Lehrer, die unter ihre Aufgaben und Aufsätze ihr »Könnte besser sein« oder »Das nächste Mal mehr Sorgfalt« kritzelten, wären sicher erstaunt gewesen, hätten sie einmal gesehen, wie die Hausaufgaben überhaupt zustande kamen. Manchmal legten die Mädchen ihre Bücher und Hefte aufs Bett, während Ela und Bimla um sie herum Bockspringen veranstalteten und der Lärm des Fernsehers von unten heraufdröhnte. Einmal hatten sie versucht, im Aufenthaltsraum zu arbeiten. Sandya hatte gerade ihre Stifte ausgebreitet und ihr Schulbuch aufgeschlagen, als Jim, einer der Gäste, hereinkam, den Fernseher einschaltete und sie fragte, wie sie in der Schule vorankomme.

Sie sprachen mit ihrem Vater, der schließlich widerwillig zustimmte, daß sie beide von der Schule nach Hause kommen dürften, um hier ihre Aufgaben zu machen, während die restliche Familie – er, Mai, Ela und Bimla – bei Leela blieb. In der vergleichsweise friedlichen Umgebung arbeiteten sie natürlich schneller und verbrachten die gewonnene Freizeit dann im Aufenthaltsraum. Einige der »normalen« Gäste waren freundlich und interessant. Dr. Duval, der französische Einbalsamier-Spezialist, der im University College Hospital Vorlesungen hielt, war ein ruhiger Mensch mit einem weißen, kummervollen Gesicht wie aus Wachs. Sandya meinte, er habe sich wahrscheinlich selbst versehentlich einbalsamiert. Mit bekümmerter Miene half er ihnen bei ihren Französisch-Aufgaben. Dorothy, genannt Klein-Dotty, war eine große, dicke Person, von Beruf Maschinennäherin, die einen Wiederholungs-Lehrgang für neue Entwürfe mitmachte; sie war normalerweise vor der Glotze zu finden, wo sie Tüte um Tüte Erdnüsse und Kartoffelchips verspeiste und dabei über ihren Umfang jammerte. Sie hatte sich anerboten, für Ela und Bimla ein paar Kleidchen zu nähen. Martin war gutmütig und hilfsbereit; Sandya hatte schnell begriffen, daß sie nur zu sagen brauchte, sie habe Hunger – schon sprang er auf und holte ihr von dem indischen Schnellimbiß um die Ecke Schalen mit dampfend heißem Curryreis und Cola-Dosen, die sie auf dem Boden sitzend leerten. »Kein Wunder, daß die Lehrer dauernd Gehaltserhöhung fordern«, neckte ihn Sumitra. »Sie geben ja Ihr ganzes Geld für die Speisung Hungernder aus.«

Wenn Sally eingeschlafen war, kam Maria mit einer Kanne Tee. Dann holten sie ihre Zahnputzgläser. Meistens saßen Sumitra und Sandya abends mit ihren neuen Freunden im Aufenthaltsraum, während Bap und Mai in der geschützten Abgeschlossenheit von Leelas Haus glaubten, ihre Töchter arbeiteten für ihre künftigen Heiratsurkunden und nicht ahnten, daß sie statt dessen fröhlich vor dem Fernseher saßen und aßen.

Martin hatte ein Auto. Es war nicht neu, nicht einmal verkehrssicher, aber es lief. Als Bap an einem Samstag den Ringern zusah, fragte Martin, ob er manchmal am Wochenende mit den Mädchen Stadtrundfahrten machen könne. Batsch – Baps Linke hatte den Gegner zu Boden geschmettert. »Sie nehmen sie mit? Alle? O. K.« Immerhin war Martin Lehrer, und dazu höflich, sauber und ordentlich gekleidet. Mit allen Kindern zusammen konnte nichts passieren, und wenn Sumitra einmal irgendwo anders hinkäme als in den Tempel oder zu den indischen Tänzen, würde sie ihm vielleicht nicht mehr wegen der Discos in den Ohren liegen.

So kam es, daß die vier Mädchen sich am Wochenende in Martins Wagen zwängten, um die Sehenswürdigkeiten zu besichtigen, die sie noch nicht kannten. Sie sahen die Wachablösung vor dem Buckingham-Palast. Sie stiegen auf die große, *Monument* genannte Säule und spazierten am Fluß entlang bis nach Greenwich. Vor Weihnachten fuhren Maria und Sally mit, um sich den Christbaum auf dem Trafalgar Square anzusehen. Eine frohe Stimmung herrschte in der Stadt, Leute lächelten ihnen zu, lächelten Sumitra an, die Sally trug, und Maria, die Ela und Bimla an der Hand führte, während Martin mit Sandya plauderte.

»Wir sollten mit Weihnachtsliedern von Haus zu Haus ziehen«, sagte Martin, »und Gelder für das Hilfswerk

Rettet die Kinder sammeln.« Alle waren von dem Vorschlag begeistert. Auf dem Heimweg übten sie schon, und am Abend informierte Martin die anderen Gäste über die Aufstellung eines Weihnachtschors.

»Wer macht da mit?« fragte Jean mißtrauisch.

»Na, natürlich Sie und Rita, ohne Sie geht's doch nicht. Sie sind doch mit am wichtigsten. Dann Dr. Duval, Klein-Dotty, Maria und Jim.«

»Wer noch?« beharrte Jean.

»Die Patel-Mädchen und jeder, der mitmachen will.«

»Na, also ich weiß nicht«, äußerte sie zweifelnd.

»Jean, es ist Weihnachten«, sagte Martin streng. »Da geht's doch um die Heimatlosen, da geht's doch drum, anderen zu helfen.«

Jean suchte nach einer Ausrede. »Und wer paßt auf die kleinen Kinder auf?«

»Wir bitten die anderen Familien, mitzuhelfen. Ist ja nur für einen Abend.«

»Na, also ich weiß nicht«, wiederholte Jean.

»Darf ich auch mit, Mammi?« bat ihr kleiner Sohn Francis. »Bitte, laß uns doch mitmachen.« Seine Augen füllten sich mit Tränen.

»Also gut«, fauchte sie.

Der Aufenthaltsraum wurde mit sanfter Gewalt allabendlich eine Stunde lang für Proben freigehalten. »Laternen, wir brauchen Laternen«, rief Jean, die sich wider Willen in die Weihnachtsstimmung hineinziehen ließ. »Und eine Büchse fürs Geld«, fügte Rita hinzu. Martin klopfte mit einer Gabel auf den Tisch. »Also wir probieren mal *Vom Himmel hoch, da komm ich her.*«

Dr. Duvals Bariton war etwas piepsig und mit französischen Nasallauten angereichert, während Jims Bariton sehr kraftvoll war. Ela, Bimla und Francis sangen in durchdringendem Diskant, und Jean, Rita, Sumitra, Klein-Dotty und Maria schwankten zwischen Sopran und Alt. »Die reinste Katzenmusik«, klagte Martin nach der ersten Strophe.

»Laß nur, Kumpel, wir sind keine Opernstars«, rief Jim.

»Wem sagen Sie das«, stöhnte der Chorleiter und ließ die Strophe wiederholen.

In den Vorweihnachtstagen herrschte im Haus eine frohe Stimmung; alle wußten, worum es ging, und waren aufgeregt. Das Singen wurde immer besser. Aus dem Stadtpark brachten sie Tannenzweige mit und einen kleinen Baum vom Freiland. Jean filzte Antonios Notvorrat an Kerzen, die sie in ihren Zahnputzgläsern befestigten. Und am Heiligen Abend brachen sie auf in die Kälte, um von den freundlichen Herrschaften in der Nachbarschaft Geld zu erbitten. Becky, Ritas Töchterchen, trug die Sammelbüchse.

Sie hielten vor dem ersten Haus. Ela fing an zu kichern. »Hör auf!« schnauzte Sumitra sie an. Martin hob eine Hand und gab summend den Ton an. »Fertig?«

»Vom Himmel hoch, da komm ich her . . .«

Die Klänge stiegen etwas heiser gen Himmel. Am Eingangstor ging das Licht an, und eine kleine grauhaarige Dame kam freudestrahlend hervor. »Das war wirklich wunderbar. Wunderbar. Bitte, singt noch eine Strophe.«

Stolzgeschwellt sang der Chor weiter, und die alte Dame fiel mit ein. Sie schob eine Münze in die Büchse. »Frohe Weihnachten wünsche ich euch, meine Lieben.«

Als sie die Straße hinauf und hinunter abgeklappert hatten, war das Hilfswerk Rettet die Kinder schon um fünf Pfund, zweiundsiebzig Pence und einen irischen Penny reicher. »Noch ein Haus«, sagte Martin, »und dann zurück. Wenn wir länger bleiben, erkälten sich die Kinder noch.« Gegenüber dem Hotel war ein Haus mit Eigentum-Apartments. »Verdammt«, murmelte Rita, »die haben so eine hochherrschaftliche Türsprechanlage.« Martin meinte: »Macht nichts. Ich drücke den Knopf der achten Etage und sag' einfach, daß wir die Weihnachtssänger sind. Die lassen uns schon rein, und dann sind wir ganz oben und singen uns stockweise runter.«

Sumitra grinste Maria an. »Ist das nicht prima? So was hab' ich noch nie gemacht.« Maria sagte: »Als ich klein war, sind wir jedes Jahr losgezogen. Es war herrlich, jetzt fällt mir's wieder ein. Los, sie haben auf den Türöffner gedrückt.«

Sie drängten in den Fahrstuhl und drückten den Knopf für den achten Stock. Nichts rührte sich. Sie versuchten es noch einmal. Der Fahrstuhl holperte langsam etwas nach oben und hielt dann mit einem Ruck. Trotz mehrmaligem Knopfdrücken bewegte sich nichts mehr. Sie waren gefangen. Da sah Martin das Schild an der Tür: ACHTUNG! MAXIMAL-BELASTUNG 6 PERSONEN.

»*Mon Dieu, qu'il fait chaud*«, war Dr. Duvals nützlicher Beitrag zur Situation. Sandya schaute gebannt zu, wie ihm große wächserne Tropfen aus der Haut drangen. »Er hat sich tatsächlich selbst einbalsamiert«, wisperte sie Sumitra zu. Becky fing an zu weinen. Ela fragte: »Bleiben wir noch länger hier?« Und Francis bat flehentlich: »Mammi, gehen wir jetzt heim, bitte?«

»Wir rufen jetzt – alle zusammen!« kommandierte Martin. »Es wird uns schon jemand hören.« Sie brüllten und schrien um die Wette, bis eine Stimme rief: »Ist ja gut. Keine Panik! Ruhig bleiben! Die Feuerwehr ist unterwegs.« Der Chor jubelte auf und stimmte ein Lied an. Zehn Minuten später hörte man unten in der Straße die Sirenen, und kurz darauf hatten lächelnde Feuerwehrmänner die Tür aufgesprengt und zogen sie hoch auf den nächsten Absatz.

Die Hausbewohner warteten schon, als sie in Sicherheit gehievt wurden, und bald war Beckys Büchse von teilnahmsvollen Spendern reichlich aufgefüllt. Dann sangen sie alle zusammen einschließlich der Feuerwehr *In Bethlehem geboren* und liefen danach die Treppe hinunter in die kalte Nacht.

»Na, also das muß ich sofort den andern erzählen, daß die Feuerwehr gekommen ist, um uns zu retten«, sagte Maria. »Die müssen ja die Sirenen gehört haben, direkt gegenüber.« Die Sänger rannten über die Straße, lachend und jubelnd. In einem Anfall von Freundschaft hielten sie sich an den Händen, während sie die Treppe im Fremdenheim hinaufstolperten.

Es war am Heiligen Abend, als Jean und Sumitra, Rita und Sandya sich an den Händen hielten.

8

Ein Neuer bezog das Zimmer, in dem Dr. Duval gewohnt hatte. Sumitra, die kurz darauf, nach dem Frühstück, durch den Flur kam, sah die Tür offenstehen und rief hinein: »*Bonjour, Monsieur, il fait beau aujourd'hui.*« Woraufhin eine freundliche Stimme mit einem schauerlichen englischen Akzent auf französisch antwortete: »*Bonjour, Mademoiselle*, wo ist das Zimmer für – wie sagt man – Frühstücken?« Der dunkelhaarige, wachsgesichtige Franzose hatte sich in einen schlaksigen jungen Engländer verwandelt. Sumitra lächelte und deutete aufs Frühstückszimmer. »Entschuldigen Sie, ich habe Sie für jemand anderen gehalten. Da geht's lang. Ich muß jetzt weiter.«

»Bis später«, rief der Fremde ihr nach.

Die erste Schulstunde war Russisch. Sie lernten gerade Puschkins *Poema Ljubwi*, das Liebesgedicht. Mr. Cherny war bemüht, seine Schüler für die Feinheiten der Sprache zu begeistern, und überhörte offenbar das Geflüster und die Balgerei in den hinteren Reihen. »*Ja wass ljubil; ljubow jeschtscho, butj možet*. George, übersetze bitte!« George begann zögernd: »Ich liebte dich...« Pfiffe und spöttischer Beifall wurden laut. Mr. Cherny lächelte erfreut, und seine Stimme erzitterte leidenschaftlich, als er fortfuhr: »Die Liebe, sie ist vielleicht noch nicht vollständig in meinem Herzen erstorben. *Sawssjem* – vollständig. Der Dichter benutzt dieses Wort, um anzudeuten, daß seine Gefühle noch nicht tot sind.«

Sumitra blickte auf ihre Uhr: noch siebenunddreißig Minuten bis Mathe. Sie vertrieb sich die Zeit damit, siebenunddreißig Striche ins Heft zu zeichnen; währenddessen waren zwei Minuten vergangen, und sie kreuzte zwei Striche durch. Blieben noch fünfunddreißig.

Liebe – *Ljubow* – *l'amour* – *Prem* – *Chavun*. Sie schrieb die Wörter untereinander und färbte sie bunt ein. Dabei fragte sie sich, was Liebe wohl ist und was man fühlt, wenn man sich verliebt.

Das Fremdenheim kam ihr in den Sinn und der junge Mann, den sie am Morgen gesehen hatte. Das Hotel war wie eine Grenzstadt, eine Zwischenlandestation, wo Menschen in rascher Folge ankamen und wieder abreisten. Einen Tag lang beherbergte ein Zimmer vielleicht einen dicken Geschäftsmann aus dem Norden und am nächsten schon eine zierliche Frau aus den Highlands, die hierher zum Einkaufen kommt. Auf geheimnisvolle Weise wechselten Geschlecht und Gestalt, Hautfarbe und Beruf der Gäste von Woche zu Woche.

Der Neue hatte ihr gefallen – so wie er aussah und so wie er sie angesehen hatte. Er gehörte zu den warmherzigen Menschen wie Martin und Maria. »Ich liebte Sie stumm, ohne Hoffnung«, deklamierte Mr. Cherny, *bjesmolwno, bjesnadjožno*«, und legte dabei die Hand aufs Herz, den Blick träumerisch in weite Fernen gerichtet. In den hinteren Reihen wurde schallend gelacht. Sumitra sah auf die Uhr und kreuzte neunzehn weitere Striche durch. Noch sechzehn also. Es war zwecklos, über den Neuen nachzudenken. Selbst wenn sie ihn kennenlernte, selbst wenn sie sich dann sympathisch fänden, würde Bap niemals zulassen, daß sich eine Freundschaft entwickelte. Bap hatte Mai geheiratet, ohne sie je vorher gesehen zu haben; romantische Liebe hatte keinen Stellenwert in ihrem Leben. Sumitra empfand hier wie Puschkin, sie war dazu verdammt, *bjesmolwno, bjesnadjožno*, stumm und ohne Hoffnung zu lieben. Selbst lose Freundschaften mit Jungen ihrer Klasse waren undenkbar.

Bevor sie am Abend in den Aufenthaltsraum ging, vertauschte sie die Schuluniform mit einem Kleid und kämmte sich. Martin sah die Abendnachrichten. Sumitra war enttäuscht, vielleicht war der Neue nur eine Nacht geblieben. Sie tat so, als wollte sie fernsehen, und schaute auf, als die Tür sich öffnete. Der Fremde trat ein. »Hallo«, sagte Martin, »wer sind Sie denn?« Schnell erfuhren sie, daß er Mike hieß, einundzwanzig Jahre alt war und aus Bristol kam. Er hatte als zweiter Geschäftsführer in einem Geschäft namens Hanbury in Bath gearbeitet und war nun zur Filiale in Finchley versetzt worden.

Während Mike mit Martin sprach, schaute er Sumitra an – ein schlankes Mädchen mit wunderschönen mandelförmigen braunen Augen. Sie wurde verlegen. »Ich werde mal Maria holen«, sagte sie schnell. Als sie draußen war, fragte Mike: »Wohnt sie allein hier?«

Martin lächelte mitfühlend. »Nein, da sind noch drei jüngere Schwestern und die Eltern. Sie haben oben zwei Zimmer.«

»Was für ein schönes Mädchen«, seufzte Mike.

Als Sumitra mit Maria zurückkam, sprach man ganz allgemein über Jobs und die Schwierigkeit, eine Wohnung zu finden. Rita und Jean kamen herein, um das Fernsehspiel zu sehen. Sie plauderten mit Maria und schauten gelegentlich zu Mike hinüber. Sie schätzten ihn ab; Fremde im Grenzland waren immer entweder eine Bedrohung oder eine Verheißung. Unmerklich bezogen Jean und Rita den Neuen in ihr Gespräch ein und ermutigten ihn teilzunehmen, während Sumitra gleichzeitig merkte, wie die Frauen sie aus dem Gespräch heraushalten wollten, ohne daß es Mike auffallen sollte. Sie sah aber auch, daß Mike dauernd zu ihr herüberschaute und wie Jean und Rita ärgerliche Blicke wechselten.

Sandya stürmte herein. »Ich kann das nicht, diese Mathe. Das ist mir viel zu schwer. Ich versteh's sowieso nicht. Alles Quatsch. Wozu brauch' ich denn Algebra?«

»Ich glaube, ich habe da noch so eine dunkle Erinne-

rung daran«, sagte Mike. »Bring's her, dann seh ich's mir
mal an.« Sandya stürzte mit fliegenden Zöpfen hinaus,
man hörte, wie sie die Treppe hinaufeilte. Jean und Rita
blickten noch säuerlicher drein.

Während Sandya oben war, fragte Mike, ob sie jemanden wüßten, der an einem Samstags-Job interessiert sei.
»Da ist was frei für eine Aushilfskraft, muß hauptsächlich
Lagerbestände kontrollieren und Zahlenkolonnen addie-
ren. Wir haben sogar eine Rechenmaschine für den Fall,
daß die Finger nicht ausreichen.«

»Das könnte ich gut gebrauchen«, sagte Sumitra eifrig,
»aber ich muß erst meinen Vater fragen. Vielleicht ist er
nicht einverstanden.«

»Ich kann Sie jedenfalls morgens mitnehmen und
abends heimbringen«, erklärte Mike. »Wäre sicher auch
eine nützliche Erfahrung für Sie.«

Sie hatte schon eine ganze Weile mit dem Gedanken an
eine Aushilfsarbeit gespielt. Für Bap war es schwierig, mit
seinem Lohn auszukommen. Er mußte für die Familie
sorgen, das Essensgeld bezahlen, die Schuluniformen, das
Fahrgeld, Essen und Kleider. Er hätte kostenlose Mahlzeiten und einen Zuschuß für die Uniformen beantragen
können, aber niemand hatte ihn auf diese Sozialhilfen
hingewiesen, und selbst wenn er davon gewußt hätte,
würde er es abgelehnt haben, mit diesen schwächlichen
englischen Habenichtsen auf eine Stufe gestellt zu werden.
Er schlug sich mühsam durch und versuchte, sich nach der
Decke zu strecken – mit einer kranken Frau und vier
heranwachsenden Töchtern. Wenn Sumitra den Job bekäme, brauchte er sich um sie jedenfalls nicht mehr zu
sorgen, und sie könnte sich dann auch einmal ein paar
hübsche Kleider kaufen und wie ihre Freundinnen in der
Schule aussehen, selbst wenn sie innerlich ganz anders
war.

»Aber ich glaube, er ist einverstanden«, meinte Sumitra,
»ich glaube, ich kann ihm gut zureden. Wann würde ich da
anfangen?«

Jean stand unvermittelt auf. »Wir gehen, Rita!« kommandierte sie. Rita fuhr zusammen und gehorchte. Naserümpfend rauschten sie hinaus. Sumitra hörte sie im Flur. »Typisch, die Kanaken, nehmen uns die Jobs weg.«

Als sie die Eltern heimkommen hörte, folgte sie ihnen aufs Zimmer. »Bap, hast du was dagegen, wenn ich einen Samstags-Job annehme? Da ist ein neuer Mann eingezogen, er ist jetzt Geschäftsführer von Hanbury in Finchley. Ein Freund von Martin. Er fährt mich auch hin und zurück. Komm mit, ich stelle euch vor, bitte, Bap!«

Unwillig kam er mit in den Aufenthaltsraum, und Sumitra stellte ihren Vater vor. Mike erzählte von dem Job, erklärte, daß Sumitra angelernt werde und zunächst einmal jeden Samstag drei Pfund bekomme. Als Bap begriff, daß sie nicht mit öffentlichen Verkehrsmitteln zu fahren brauchte, aber wertvolle Erfahrungen sammeln würde, zuckte er die Achseln. Die Kinder aller seiner Freunde hatten Samstags-Jobs. Was sollte er da sagen? In diesem fremden Land war er zu einem Nichts herabgewürdigt. Im übrigen würden sogar diese drei Pfund den knappen Haushalt entlasten. Vielleicht wäre es auch ganz nützlich, wenn Sumitra etwas Erfahrung in Büroarbeit bekäme; später würde sie es bei der Arbeitssuche sowieso schwerer haben als eine Weiße. Und außerdem, wenn Mike ein Freund von Martin war...

»Geh, geh, ist O. K.«

Mike lächelte, und Bap wandte sich auf Gujarati an Sumitra: »Aber passiert auch nur das geringste, laß ich dich nie mehr irgendwohin gehen. Verstanden?«

Sumitra war überglücklich. »Danke, Bap. Es passiert doch nichts. Was soll denn passieren?«

Durch die Samstagsarbeit bei Hanbury gewann Sumitra allmählich ein ganz neues Selbstgefühl und Selbstverständnis. Oft war sie sich nur als ein Mitglied ihrer Familie oder eine von vielen Asiaten oder Einwanderern vorgekommen. Zu oft hatte sie es murmeln hören: »Alles wegen denen – kaufen unsere Läden auf – nehmen uns die

Häuser.« Sumitra fühlte sich dann gedemütigt und gekränkt. Sie wollte hinausschreien, daß das gar nicht wahr
sei. Aber es war wohl doch wahr, wenngleich etwas
übertrieben. Kioske und Zweigpostämter wurden von
Asiaten gekauft und geführt. Das konnte sie doch nicht
leugnen? Und jedesmal, wenn eine Einwandererfamilie
eine Wohnung bekam, bedeutete das, daß eine englische
Familie wieder länger warten mußte.

Bei Hanbury hatte sie nicht viel Zeit zu grübeln. Hier
war sie einfach Sue, das Samstagsmädchen. Sie hatte sich
um Kundenanfragen zu kümmern, Briefe zu beantworten
und Bücher zu führen – und nicht die Wohnungsnot und
die Rassenprobleme des Landes zu klären. Der erste
Morgen war ziemlich verwirrend; nachdem Mike sie
einmal herumgeführt hatte, wurde sie von Pat übernommen, einer geschäftigen, grauhaarigen Dame. Pat erklärte
ihr die Arbeit und saß dann den ganzen Tag bei ihr, immer
bereit, zu helfen und zu raten. Um elf bat sie Sue, Kaffee
zu machen, und als der fertig war, ging sie mit ihr herum
und stellte sie beim Einschenken den anderen Mitarbeitern
vor. Zu Sumitras Erleichterung waren alle sehr freundlich.

»Kommen Sie mit, meine Liebe«, sagte Pat gegen
Mittag, »wir gehen was essen.« Sie führte Sumitra in eine
Imbißstube gegenüber und plauderte unbekümmert über
ihre Töchter, ihren Mann, ihr Enkelkind. Sie holte Fami-
lienfotos hervor und erklärte sie. »Für wie alt hält sie mich
denn?« dachte Sumitra. Pat behandelte sie wie eine Freundin und nicht wie eine unerfahrene Halbwüchsige. Und so
blieb es auch den ganzen Tag: sie war einfach eine
Kollegin, Teil der Arbeitsgruppe, und hatte ihre Aufgaben. Daß sie dann noch vor dem Weggehen drei neue
Pfundnoten in einer braunen Lohntüte erhielt, war eine
zusätzliche Belohnung. Hier hätte sie auch umsonst gearbeitet.

Dieser Samstags-Job wurde zum Rettungsanker. Er gab
ihr Sicherheit und war manchmal der einzige Festpunkt in
der Woche. Ihre Aufgaben waren genau festgelegt, be-

schrieben und begrenzt, deswegen war sie keine Bedrohung für andere, und niemand war eifersüchtig. Im Februar fragte Mike, ob sie Lust hätte, in der Ferienwoche zu arbeiten. Ihr Vater stimmte zu, und Sumitra erhielt einen Wochenlohn. Die Hälfte davon gab sie Bap, und für den Rest kaufte sie Geschenke für ihre Mutter und die Geschwister. Zu Ostern arbeitete sie an den drei freien Schultagen. Sie gehörte jetzt wirklich dazu. Als Mikes Chef ihr eine Oster-Gratifikation und ein in Silberpapier verpacktes, mit blauem Seidenband geschmücktes Osterei überreichte, war sie hingerissen. »Ich kann Ihnen gar nicht sagen, wie dankbar ich Ihnen bin, daß Sie mir diesen Job verschafft haben«, sagte sie zu Mike, als er sie abends heimfuhr.

Mit dem verdienten Geld konnte sich Sumitra ein paar Kleider kaufen. Sie ging mit Sandya einkaufen, und sie kamen beide mit einem neuen Kostüm nach Hause. Sie entdeckte, daß sie Geschmack hatte und daß es möglich war, sich auch mit wenig Geld elegant anzuziehen. Sie gingen in Warenhäuser und brachten Taschen voller Sonderangebote mit. Sumitra wirbelte in Marias Zimmer herum und führte einen neuen Rock und neue Schuhe vor. »Wie gut du aussiehst«, rief Maria, »aber du bist ja schon in der Schuluniform bezaubernd, und das ist allerdings eine Leistung.«

Maria sagte ihr dauernd, wie hübsch sie sei. Aber Sumitra wußte nicht so recht, ob das stimmte. Ela und Bimla waren nicht der Meinung, daß braune Haut schön sei. Sie neckten sich und stichelten: »Du trinkst zuviel Tee« – »Soviel Schokolade ist nicht gut für dich, die macht dich so braun.« Und doch hatte einer der Gäste, ein Künstler, sie gefragt, ob er sie porträtieren dürfe. Er hatte ihr das unfertige Aquarell dagelassen, das ein Mädchen mit bronzefarbener Haut, großen, glühenden Augen und einem feingeschwungenen Mund zeigte. Sah sie wirklich so aus – oder war das nur der geschönte persönliche Eindruck des Malers? Sie wußte, man sollte sich um sein

Aussehen keine Gedanken machen. Jeder sagt einem, es kommt nicht darauf an, wie du aussiehst, sondern was du bist. Aber das stimmte ja auch nicht ganz. Die hübschen Mädchen und die gutaussehenden Jungen haben es eben doch in der Schule leichter, als ob ihre ansprechenden Gesichter ihre Beliebtheit förderten.

Das ganze Jahr über hatte Martin immer wieder die Schwestern am Wochenende ausgeführt. Jetzt kam Mike manchmal mit. Indische Geschichte und Religion interessierten ihn auf einmal. Er fing an, Hindi zu lernen. Er legte Wert darauf, sonntags morgens mit Bap und Mai zusammen »Nayi Zidagi, naya Jivan« zu sehen, und er stellte Fragen über die Sprache. Bap zeigte sich hocherfreut.

Eines Tages fiel Schnee, und Mais Mantel war noch in der Reinigung. Sumitra bat Martin, ihn für sie abzuholen. In den kalten Winternächten fuhr er Bap und Mai oft zu Leela. Die Eltern waren dankbar, und das wollten sie diesen Leuten auch zeigen, die ihnen und ihren Kindern dauernd behilflich waren. Sie mußten zugeben, daß Martin, Mike und Maria anders waren als andere Weiße – aber sehr viele Weiße kannten sie eben auch nicht.

Als nun Gopals Hochzeit vorbereitet wurde, luden sie ihre neuen Freunde zur Feier ein. Sumitra war eine der Brautjungfern. Sie ging schon früh aus dem Haus, um der Braut beim Anziehen zu helfen und um ihr die komplizierten Muster auf Gesicht und Hände zu malen. Die anderen quetschten sich in der Nachmittagssonne in Martins Wagen und Mikes Kombi und fuhren in den Tempel.

Gopal und die Braut saßen auf der Bühne, und vor ihnen sang der Guru seine Gebete. Die Gäste schritten an ihnen vorbei, beglückwünschten sie und legten Geschenke ab. »Seht ihr den Schrein da? Dort opfern die Gäste den Göttern allerhand Speisen.« Die kleine Sally verstand »Speisen«, sah, wohin Sandya deutete, und war im Nu über das Seitentreppchen auf der Bühne und an dem verblüfften Guru, der blumengeschmückten Braut und dem Bräutigam vorbeigehuscht und begann, sich die Speisen der Götter einzuverleiben. Nüsse, Gebäck und Süßigkeiten verschwanden im Handumdrehen, bevor Sumitra, hinter der Braut postiert, gewahrte, was da passierte und Sally dann eilends hochhob. Sally wurde von Hand zu Hand bis zu Maria weitergereicht. Alle Gäste, der Guru und das Brautpaar brachen in Gelächter aus. Sally verbarg den Kopf an Marias Hals und schluchzte. Eine der Frauen brachte ihr schnell einen Teller mit *Jalabi*. Sally lächelte unter Tränen und griff zu.

»Wir haben alle gelacht«, dachte Sumitra, »aber in Wirklichkeit ist diese Hochzeit nicht zum Lachen.« Sie führte ihr vor Augen, was jetzt schnell auf sie selbst zukam. Eine arrangierte Heirat, ein Leben, das aus der Zubereitung von *Chapattis* und *Pooris* und dem Großziehen von Kindern bestand. Sie schüttelte abwehrend den Kopf. Aber was konnte sie dagegen tun? Ohne daß es ihr bewußt geworden war, hatte ihre Zukunft sie schon seit Jahren bedrückt.

Sie war sehr verwirrt, und sie wußte nicht, ob es daher kam, weil sie eine Inderin in England war oder eine Frau in einer von Männern beherrschten Welt. Es war zu leicht, einfach die braune Hautfarbe für alles verantwortlich zu machen, wie das viele ihrer Freundinnen taten. Während des Aufenthalts im Fremdenheim hatte sie Weiße getroffen, die ein schweres Leben hinter sich hatten, viel schwerer als alles, was sie selbst je erlebt hatte.

Maria hatte ihr Geschichten von den Slums erzählt, wo sie aufgewachsen war, wo die Nachbarn Donnerstag abends klopften, um sich etwas Zucker oder Tee auszuleihen, wo jeder untertauchte, wenn der Schmiere stehende Junge die Straße runterraste mit der Nachricht, Old Fred, der Mieteneintreiber, sei im Anmarsch. Maria kannte die Pfandhäuser, wußte, wie man mit den knochigen Nackenstücken vom Hammel Suppe macht und sich Zeitungspapier in die Schuhe stopft, um die Kälte abzuwehren.

Maria war von der Schule abgegangen, hatte stumpfsinnige Arbeiten verrichtet, geheiratet und ein Kind bekommen; jetzt wohnte sie in einem winzigen Zimmer bei Antonio, immer in Angst, er könnte ihren Elektrokocher oder -kessel entdecken. Maria konnte ihre weiße Haut nicht dafür verantwortlich machen. Sumitra lächelte, als sie in der Halle ihre Freundin Maria mit Sally auf dem Arm sah, wie sie sich fröhlich mit einer Gruppe von Frauen in prächtigen Saris unterhielt. Aber Maria würde sowieso nichts und niemanden verantwortlich machen. Sie würde einfach feststellen: »Na ja, so ist das eben, und wer weiß, wozu es gut ist.«

Jean und Rita, andererseits, sahen in ihrer Hautfarbe die Erklärung für alles Unglück. Sumitra hatte sie im Aufenthaltsraum sagen hören: »Wär' ich nur schwarz, dann hätt' ich jetzt 'ne neue Wohnung.« Oder: »Braun muß man sein, dann kriegt man auch einen Job.« Inder wiederum meinten, sie bekämen eben wegen ihrer Hautfarbe weder Job noch Wohnung. Konnte man vielleicht damit die eigene Unfähigkeit bemänteln? Um dieses Märchen von der Unterschiedlichkeit der Menschen aufrechtzuerhalten, mußten sie die Menschen nach Hautfarben geordnet einander gegenüberstellen und sich gegenseitig ihre Unfähigkeiten um die Ohren schlagen. Auf diese Weise konnten sie natürlich nie zusammenkommen und niemals entdecken, daß sie im Grunde alle gleich sind.

Der Singsang des Gurus ging weiter. Gäste gingen hintereinander am Brautpaar vorbei. Viele Geschenke türmten sich nun auf der Bühne. Eines wußte Sumitra schon jetzt ganz genau. Sie würde niemals einer von den Eltern arrangierten Heirat zustimmen. Sie wußte nicht einmal, ob sie überhaupt heiraten wollte. Aber heute jedenfalls trug sie einen Sari, lächelte, träufelte Rosenwasser auf Braut und Bräutigam und scherzte und lachte.

9

Alle zwei Wochen trug der Vater Sumitra auf, beim Wohnungsamt anzurufen. »Sag ihnen, sie sollen uns endlich umziehen lassen. Wir brauchen eine eigene Wohnung.« Er hatte gehört, wie andere Obdachlose von der Telefonzelle in der Halle das Wohnungsamt anriefen und eine Wohnung verlangten. Das war offenbar der einzige Weg, um dem Amtsschimmel klarzumachen, daß man noch am Leben war.

»Jetzt bin ich schon neun Monate hier«, beschwerte sich Jean eines Tages beim Frühstück mit Rita. »Neun verfluchte Monate. Und dann hörst du von Emigranten, die schon nach zwei Wochen eine Wohnung kriegen. Das ist verdammt ungerecht.« Die vier Patel-Schwestern waren mit ihrem Frühstück beinahe fertig. »Beeil dich, Ela«, sagte Sandya und starrte böse zu Jean hinüber, »sonst kommen wir zu spät zur Schule.«

Als sie auf den Bus warteten, sagte Sandya erregt: »Ich hasse diese Jean. Immer sagt sie so was Gemeines.«

»Es ist gemein«, stimmte Sumitra zu, »aber manchmal hat sie recht. Denk mal an die Choudris und die Shahs. Sie waren nur zwei Monate auf der Warteliste und haben schon eine neue Wohnung. Jean sagt, sie ist schon seit Jahren eingetragen und wartet immer noch. Sie gibt uns die Schuld, als hätten wir Wohnungen zu vergeben. Es ist alles Wahnsinn. Und es ist wirklich nicht gerecht.«

Ein Bus kam näher. »Welcher ist es?« Sandya kniff die Augen zusammen. »Der 26er.« Sie hingen sich die Schultaschen um und quetschten sich hinein. Sandya wurde nach hinten abgedrängt. Sumitra hielt sich an einer Lehne fest und stand schwankend im dahinholpernden Bus. Vielleicht, dachte sie, werden manche Heimatlose schneller in eine Wohnung eingewiesen, weil sie die ausgefalleneren Gründe vorbringen. Maria, Jean und Rita konnten bei der Fürsorge nur geltend machen, sie hielten es einfach nicht mehr aus; nirgendwo durften die Kinder spielen; sie konnten nicht anständig ernährt werden und mußten aus Rücksicht auf die anderen Gäste dauernd still sein, wurden aber ihrerseits immer wieder aufgestört durch das ständige Kommen und Gehen und den Krach, den die Betrunkenen machten. Das sagten sie alle, es waren die immer gleichen, sattsam bekannten Beschwerden.

Sumitra wußte zum Beispiel, daß Mais Freundin, Mrs. Shah, ihrer Fürsorgerin versichert hatte, es sei ihr nicht gestattet, in einem Zimmer mit ihrer menstruierenden Tochter zu beten. Das mache ihr die Religionsausübung unmöglich, hatte sie gesagt. Die Familie bekam eine Wohnung. Die Choudris hatten sich darüber beschwert, daß sie sich nur unter größten Schwierigkeiten ihre Speisen nach Hindi-Art und -Sitte zubereiten könnten. Sehr schnell erhielten sie ein Häuschen. Im Tempel hatten sie eine Familie kennengelernt, die sechs Wochen lang in einer Unterkunft mit »Bett-und-Frühstück« gewohnt hatte. Die alte Großmutter war täglich um fünf Uhr aufgestanden, um zur Begrüßung des dämmernden Tages das *Usha-Mantra* in voller Lautstärke zu singen. Das mag vielleicht Agni, dem Herrn des Feuers, gefallen haben, aber die anderen Gäste hatten wenig Sinn für die fromme Handlung. Die Familie wurde eilends in einer Wohnung mit verstärkten Betonwänden untergebracht. Mrs. Johnson hatte Sumitra erklärt, daß das Amt nach einem Punktesystem vorgeht. Das war so ähnlich wie ein Spiel, in dem man immer mehr Punkte erzielen muß. Jedes anerkannte Mißgeschick wurde mit fünf Punkten bewertet. Dazu zählten auch Kinder, folglich bekam jemand mit fünf Kindern fünfundzwanzig Punkte. Religiöse Behinderung gleich fünf Punkte. Eine schwere Krankheit oder geistige Störung brachte weitere fünf Punkte. Die Familie mit der höchsten Punktzahl hatte gewonnen: Sie bekam eine Wohnung.

Sumitra erkannte wie alle anderen Obdachlosen, daß es nur eine Möglichkeit gab, das System auszunutzen: sich dauernd zu beschweren. Je mehr Beschwerden man hatte, um so besser. Infolgedessen gab jeder vor, sein Kind sei krank (5 Punkte), der Familienvater stehe vor dem völligen Zusammenbruch (5 Punkte), die Söhne und Töchter könnten unter diesen Umständen nicht lernen (5 Punkte). Aber da nun alle das gleiche vorbrachten, hoben sich die Punktzahlen gegenseitig auf: zurück auf Spielfeld 1. Manche dachten, der beste Weg zur neuen Wohnung sei ein neues Baby (5 Punkte), was allerdings die Wohnungsnot in weiteren zwanzig Jahren noch verschärfen würde.

Sumitra hatte seit Monaten immer wieder angerufen. »Ich rufe im Namen meines Vaters an, Mr. Patel, zur Zeit Fremdenheim Antonio. Es ist schon so lange her, daß wir kein Zuhause mehr haben. Wir dürfen hier nicht kochen, und wir bekommen auch nicht das Essen, das wir gewöhnt sind, und meine Schwester und ich, wir können keine Hausaufgaben machen. Meine Mutter ist krank. Sie hat ein Attest, daß sie eine eigene Wohnung braucht. Bitte, helfen Sie uns doch. Wir sind verzweifelt.«

Die regelmäßigen Anrufe erbrachten zwei Besuche von Mrs. Johnson, die ihnen versicherte, ihr Fall werde in Kürze neu geprüft. Danach eilte die geplagte Fürsorgerin zu drei anderen Familien, denen sie die gleiche Hoffnung machte. Die Anrufe und die Besuche waren zu einer Art Ritual geworden wie eine morgendliche Andacht, die ganz mechanisch abläuft, aber von keinem mehr ganz ernst genommen wird.

Der Bus hielt mit einem Ruck. Schulkinder drängten hinaus und lachten und schrien auf dem Weg zur Schule. Ein Tag wie jeder andere. In der Morgenandacht sprach der alte Jones über die Sanftmütigen, »denn sie werden das Land besitzen«. In Geschichte wurden die britische Verfassung und die demokratische Regierungsform behandelt. Auf dem Schulhof wurden Handzettel der Nationalen Front und marxistische Broschüren verteilt, und zwischen den Anhängern der verfeindeten Lager brach eine Schlägerei aus. Nach der Schule stand vor dem Tor ein junger Mann und warb Mitglieder für die neue faschistische Bewegung. Sumitra und Sandya eilten nach Hause, um mit dem Wohnungsamt zu telefonieren.

Aber diesmal sagte die Dame, die ihnen erklärte, ihr Fall werde gleich auf der nächsten Konferenz besprochen, ausnahmsweise die Wahrheit. In der Woche darauf kam ein Brief vom Amt. Bap brachte ihn Sumitra ins Frühstückszimmer. Jean sah den ockerfarbenen Umschlag und ging mit bitterer Miene aus dem Zimmer. Sumitra rannte nach oben, um Mai zu berichten: Man hatte ihnen eine möblierte Wohnung in Hendon als Zwischenlösung zugewiesen. Mai drehte sich zur Wand und weinte. Sumitra legte ihre Arme um die Mutter, und Sandya und die beiden Kleinen krochen auf Mais Bett und hopsten begeistert darauf herum. Sie konnten es kaum glauben. Nach so langer Zeit ein Heim, ein eigenes Heim.

Die Nachricht lief wie ein Lauffeuer von Zimmer zu Zimmer. Die herzlichen und freundschaftlichen Gefühle aus der Weihnachtszeit waren verflogen. Jean und Rita riefen ärgerlich ein paarmal hintereinander bei der Fürsorge an. Die Patel-Schwestern standen oben im Flur geduckt hinter dem Geländer und hörten zu. »Die verdammten Nigger. Ich bin schon über ein Jahr hier. Und die hier erst 'n paar Monate. Das ist nicht gerecht. Mein Vater war im Krieg. Ich sitz' hier mit einem kleinen Kind. Jahrelang hab' ich Steuern bezahlt, und jetzt kommen diese Scheiß-Ausländer...«

»Geschieht ihr ganz recht«, flüsterte Bimla, »so ekelhaft, wie die ist.«

Maria kam herauf, um ihren Freunden zu gratulieren, und Martin bot an, sie hinzufahren, damit sie ihre Wohnung schon am Abend sehen könnten. Sie beluden seinen Wagen mit allerhand Sachen und zwängten sich auch hinein und saßen neben und auf ihrem Hausrat. Die recht geräumige Wohnung lag in einer hübschen, ruhigen Alleestraße, im obersten Stock eines umgebauten Einfamilienhauses. Sie bestand aus zwei großen Schlafzimmern, einem Wohnzimmer, einer Rumpelkammer und einer kleinen Küche. Zum Entzücken der Kinder war auch ein Garten vorhanden.

Die Kisten wurden aus Leelas Garage geholt. Man staunte über schon längst vergessene Sachen, die da beim Auspacken zum Vorschein kamen, als sähe man sie zum ersten Mal. »Guckt mal«, schrie Ela, »da ist mein Teddy. Hat mir Leela geschenkt. Jetzt bin ich zu groß dafür. Ich schenk' ihn Trupti.« Sie tanzte herum und fiel über Kästen und Kisten, bis der Vater brüllte, sie solle gefälligst mithelfen.

Bap packte den Schrein aus. Er hatte ihn selbst aus Holz gemacht und die Hindi-Inschrift eingeschnitzt. Das Holz stammte von einem Baum aus ihrem Garten in Uganda. Er stellte ihn vorsichtig auf den aufgemauerten Kamin. Sumitra sah ihn in dieser viktorianischen Umgebung stehen, und unwillkürlich mußte sie an jenen gedrungenen, unverwüstlichen Sessel denken, der ihr vor so vielen Jahren in Mr. Sanghvis Geschäft aufgefallen war. Der Sessel hatte nicht zu seiner Umgebung gepaßt, in dem ganzen Durcheinander war er fehl am Platze gewesen. Auch der Schrein war in der Strenge dieses englischen Zimmers ein Fremdkörper. Dieses mit Schnörkeln verzierte Schnitzwerk kam aus einer anderen Welt.

Am Umzugstag ging Sumitra nicht in die Schule. Maria half ihr beim Einpacken der restlichen Sachen. »Ich glaub' es noch gar nicht«, sagte Sumitra, die auf ihren Fersen hockte und eine Schachtel verschnürte. »Ich habe auch etwas Angst. Ich kann mir nicht vorstellen, daß wir wieder eine geschlossene Familie sein werden.«

»Das wird sich schon geben.« Maria sah ihre Freundin an und lächelte. Sumitra wurde immer hübscher. Die langen schwarzen Haare schimmerten, die Augen, die jetzt ihre Unruhe widerspiegelten, waren groß und dunkel, und die braune Haut strahlte Wärme aus. »Du bist stark, du wirst es schon schaffen. Und überhaupt, du weißt ja, wo du mich findest. Sieht nicht so aus, als bekäme ich bald eine neue Wohnung. Besuch mich immer, wann du Lust hast.« Mai brachte einige Saris und Hemden aus dem anderen Zimmer. »Ich werde euch alle vermissen«, sagte Maria. »Ich bin zwar froh, daß ihr jetzt richtig untergebracht seid. Aber irgendwie seid ihr auch meine Familie.« Sumitra übersetzte. Mai blickte in Marias trauriges Gesicht und sagte stockend: »Sie kommen mein Haus alle Tage.«

Während Mai und Sumitra in der neuen Küche das Abendessen machten, halfen Martin und Mike dem Vater, die Möbel zu rücken. Maria und Sandya räumten die Schlafzimmer auf und gingen in den Garten, um den Kampf gegen das Unkraut aufzunehmen. Da wucherte es wie im Dschungel, und Bimla, Ela und Sally spielten Verstecken hinter den Brennesseln; sie tobten jauchzend herum, bis Mai von oben herunterrief, sie sollten leise sein, wegen der Nachbarn.

Es gab ein großes Festessen mit *Pooris*, Gemüse-Curry und Kartoffelsuppe und zum Abschluß *Gulab jamon* und *Jalabi*. Martin, Mike und Bap wurden zuerst bedient; Bap kommandierte Frau und Töchter herum, noch Teller oder mehr Wasser zu bringen. Die Gäste hatten Einstandsgeschenke mitgebracht. Mike hatte sich von einer karitativen Verkaufszentrale ein paar farbige indische Drucke kommen lassen. Bimla fand Reißnägel, und sie befestigten die Drucke an der Wand, jeweils nach eingehender Abwägung der besten Hängeplätze. Martins Geschenk war ein bronzener Fußballspieler, den er in einer Schulfest-Tombola gewonnen hatte. Er wurde sofort in den Schrein gestellt, gleichrangig neben die anderen Gottheiten. Maria übergab Mai einen Korb voller Süßigkeiten und Nüsse. Sally verschwand über die Treppe in den Garten. Dann arbeitete sie sich mühsam und heftig keuchend wieder die Treppe hinauf und wackelte stolz mit einem erdverkrusteten Stein ins Zimmer zurück. »Geschenk für Mai«, sagte sie. Alles lachte und klatschte. Der Stein wurde abgewaschen und neben den Fußballer gelegt, während Mai das Kind auf ihrem Schoß an sich drückte.

Als Sumitra ihren Vater bediente, stellte sie fest, daß er zu seinem früheren Selbst zurückgefunden hatte. Er äußerte sich mit Bestimmtheit und machte deutlich, wer hier der Herr im Hause war. Er kommandierte Frau und Kinder herum, was sie tun sollten, wohin die Sachen abzustellen waren. Er tadelte und schimpfte. Der Wechsel war deshalb so besonders überraschend, weil man sich ja noch an das Ausmaß seiner Selbstverleugnung in den letzten Monaten erinnern konnte. Da schien seine Persönlichkeit im Niemandsland des Fremdenheims begraben gewesen zu sein. Jetzt aber steckte er seinen Besitz neu ab. Dieses war sein Haus, und hier war er Herrscher. Er war ein indischer Vater und von neuem Chef einer indischen Familie.

Im Hotel hätte er manchmal gern seinen Töchtern Vorwürfe gemacht, aber da waren sie im Vorteil. Sie sprachen die Sprache des Landes und hatten schon angefangen, die fremden Sitten zu übernehmen, mit den anderen Gästen wie mit ihresgleichen zu sprechen, und sich Männern gegenüber Ungezogenheiten herausgenommen. Er hatte weder mit ihnen argumentieren noch sie zur Vernunft bringen können, solange sie das ganze Gewicht einer fremden Kultur gegen seine innersten Überzeugungen einzusetzen wußten. Er hatte nicht einmal mit lauter Stimme etwas anordnen können; das wäre von den anderen feindselig eingestellten Gästen gehört und gleich kritisiert worden. Jetzt aber war er wieder der Vater der Familie. Die Töchter würden sich den Gesetzen dieser Gemeinschaft anzupassen haben und sich fortan so anziehen und so benehmen, wie er es verlangen würde. So war es immer gewesen, und nun schien es, als hätte es die kurze Unterbrechung, so unerträglich lange sie einem auch vorgekommen war, nie gegeben.

Sumitra blickte zu Mai. Die Mutter war erschöpft, aber glücklich. Die schwarzen Ringe unter den Augen waren noch da, aber die Anspannung war aus ihrem Gesicht verschwunden. Nun war sie die Frau des Hauses, nicht mehr ein ungebetener Gast. Eine ungute Vorahnung überfiel Sumitra; sie setzte sich neben Maria. »Du wirst mir fehlen, Maria, du und die Gespräche mit dir. Kannst du nicht an den Wochenenden vorbeikommen? Bitte!«

»Natürlich«, antwortete ihre Freundin. »Übrigens, da fällt mir ein, ich könnte deiner Mutter ja morgen etwas helfen, wenn sie will.« Maria ging in die Küche, um mit Mai zu sprechen. Mai lächelte und zuckte mit den Schultern. *»Su che? Mane kabar porti nati«*, sagte sie, »nix verstehen.« ›Die arme Frau‹, dachte Maria voller Mitgefühl, ›jetzt lebt sie schon jahrelang in England und hat sicher nicht einmal die Hälfte von dem begriffen, was um sie herum vorgeht.‹ Sumitra war ihnen in die Küche gefolgt. »Übersetz mal, Sumitra. Ich könnte deiner Mammi Englisch beibringen, wenn sie sich hier eingerichtet hat. Daran hätte ich schon früher denken sollen. Ich hätte sie im Fremdenheim unterrichten können. Aber besser spät als gar nicht.«

Mike und Martin kamen in die Küche. »Sally ist am Einschlafen, wir gehen jetzt am besten.« Sie dankten Mai für das Abendessen, und Maria sagte: »Wir sehen uns morgen. Ich sehe euch alle bald wieder. Und ihr – ihr besucht mich auch einmal.« Unten an der Treppe drehte sie sich um und winkte. Sechs große, braune Augenpaare spähten über das Treppengeländer. Als sie die Haustür schloß, hörte sie Baps barsche Befehlsstimme. Ela und Bimla wurden zu Bett gebracht. Sie quiekten und kicherten, bis sie einschliefen. Sumitra und Sandya wurden zum Geschirrspülen eingeteilt. Die Eltern packten im Wohnzimmer Kisten aus. »Ich freue mich so, daß Mai und Bap so glücklich sind«, sagte Sumitra nachdenklich. »Aber ich bin traurig. Im Fremdenheim hatten wir es gut. Ich weiß, es war nicht einfach, so dicht aufeinanderzuhocken, und dann der dauernde Krach und solche Leute wie Jean und Rita. Aber wenigstens kamen wir unter Menschen und konnten mit den anderen reden.« Sandya schaute sie an und sah eine Träne auf der Wange ihrer Schwester. Sie legte ihren Arm um Sumitra und fing nun selber an zu weinen. Die Tränen tropften ins Spülwasser.

»Hätten wir bloß in Uganda bleiben können«, fuhr Sumitra fort, »oder wären wir doch auf uns allein gestellt gewesen. Aber jetzt, wo wir wissen, was Freiheit ist...« Die Stimme versagte ihr.

Auch Sandya war ganz unglücklich. »Wir haben in der Schule die Geschichte von Moses gelesen. Er durfte mal kurz ins Gelobte Land hineinsehen. Aber reingehen durfte er nicht. Genauso wie wir. Der Martin und die andern, die werden mir so fehlen, das glaubst du gar nicht.«

Nun waren sie wieder in einer Welt festgelegter Rituale. Die Sitte verlangte, daß sie ihren Eltern bedingungslos gehorchten, in Ehen, die innerhalb der Patel-Sippe abgesprochen waren, ihre Rollen spielen und ihre Kinder so erziehen würden, daß sie diese Tradition fortsetzten.

Sumitra schlief schließlich in ihrem neuen Bett ein und träumte von endlosen Wiederverkörperungen. Sie sah sich selbst in einen *Samsar*, einen Kreis von Leben und Tod eingeschlossen, dazu verdammt, immer wieder die gleichen sinnlosen Zuckungen zu machen bis in alle Ewigkeit, denn niemand kann die Fessel je zerbrechen.

In ihren Träumen sah sie Kali, die Göttin der Zerstörung, vor den Toren der Schule warten. Die vierarmige Gottheit hielt Ritas blutigen Kopf in einer Hand, Jeans Kopf in der andern, während sie mit der dritten und vierten Hand Handzettel der Nationalen Front und marxistische Broschüren austeilte. Die Leute drängelten sich zu den anstehenden Schlangen der feindlichen Parteien, und entsetzt sah Sumitra, wie Bap sich bei den Nationalen registrieren ließ, während Mai sich auf der Seite der Marxisten eintragen wollte. Mai hob die geballte Faust zum revolutionären Gruß, als Bap brüllte: »Pakis raus!« Sumitra schrie, als sie immer wieder und immer wieder geboren wurde, bei jeder Wiederverkörperung schrie sie auf, aber niemand hörte sie.

10

Ein Sonntagnachmittag. Mai und Sumitra waren dabei, das Abendessen zu machen, und backten Portionen von *Ladoo* und *Balushai*, kleine süße Häppchen für die ganze Woche. Bimla und Sandya gingen mit ihrem Vater Freunde besuchen. Ela spielte mit Emma, einem Nachbarskind, »Himmel und Hölle«. Sumitra nahm ein Stück Butter, ließ es in die schwere Pfanne gleiten und sah zu, wie es schmolz. Auf kleiner Flamme fügte sie Mehl hinzu und untermischte das Ganze mit Zucker, Mandeln und Kardamom. Sie formte die Masse zu Bällchen und ließ sie hart werden.

»Ich wünschte, ich könnte auch hart werden«, dachte sie. »Dann müßte ich nicht mehr so viel fühlen.« Sie seufzte und dachte an die Unterhaltung mit Martin und Maria am Abend zuvor.

»Denken ist unbequem«, hatte Martin gesagt. »Es ist viel einfacher, ein Schaf zu sein statt ein Wolf. Die Schafe laufen einfach dem Leithammel hinterher und machen ›bäh, bäh‹. Wenn du aber kein Schaf bist, mußt du über die Dinge nachdenken und sie ganz allein bewältigen. Der Haken dabei ist, daß es so was wie *Wahrheit* nicht gibt. Das kann die Obrigkeit natürlich nicht dulden. Um gehorsam zu sein, mußt du einfach Sachen hinnehmen können. Wenn du aber von Natur aus ein denkender Mensch bist, dann bist du immer eine Gefahr, ob du's willst oder nicht.«

Wenn man ihn sah, war man ganz überrascht, ihn so reden zu hören. Sumitra war er eigentlich immer wie ein verschlafener Hippy vorgekommen mit seiner ausgewaschenen blauen Cord-Hose, die seine Knie sicher bald durchlöchern würden und die dazu unten noch so kurz war, daß man eine Handbreit seiner eingerollten Söckchen sehen konnte. Aber sie hatte ihm immer gern und aufmerksam zugehört, denn er war einer der wenigen, die sie als Erwachsene behandelten.

»Außerdem«, fuhr er fort, »haben die meisten Menschen gar keine Zeit zu denken. Sie übernehmen die Ansichten ihrer Familie oder Schule, heiraten jemanden, der diese Ansichten teilt, richten ihre Arbeit und ihr Leben danach ein und bringen ihren Kindern eben die Ansichten bei, die sie selbst einmal ungeprüft übernommen haben.«

»Aber Sie sind Lehrer«, warf sie ein. »Wie können Sie Lehrer sein, wenn Sie dagegen sind, daß man Dinge weitergibt?« Martin hatte sie ins Ohr gekniffen. »Du bist mir zu schlau, mein Fräulein«, sagte er. »Ich wäre kein Lehrer, wenn ich reich wäre; ich würde dann überhaupt nicht arbeiten. Aber leider muß ich was verdienen, und die Erziehungswissenschaft braucht nun mal so geniale Denker wie mich. Ich versuche jedenfalls, meine Schüler von den Fehlern ihrer Eltern zu befreien und sie nicht in eine Schablone zu pressen.«

»Wie bescheiden er ist«, bemerkte Maria. Sie lachten. Aber Sumitra war ganz seiner Meinung.

Die Haustür knallte und riß sie aus ihrer Nachdenklichkeit. Ela kam die Treppe hinaufgerannt. »Mai«, fragte sie, »was willst du?« Überrascht schaute Mai von ihrem *Dal* auf, den sie gerade rührte. »Ich will nichts, Ela, geh nur spielen.«

»Da war eine Dame, die hat gesagt, du willst was.«

»Was?« fragte Sumitra verdutzt. »Was für eine Dame? Was hat sie gesagt?«

»Die mit den dicken Beinen von Nr. 17. Sie hat gesagt, ich soll endlich nach Hause gehen. Jetzt bin ich hier. Brauchst du mich nicht?« Ela balancierte spielerisch auf einem Bein, schwarze Haarsträhnen hingen ihr ins Gesicht.

Sumitra und ihre Mutter sahen sich an. »Die Dame hat sich wahrscheinlich geirrt«, sagte Sumitra, »geh ruhig wieder spielen.« Ela schnappte sich schnell zwei Kekse vom Teller und rannte glückselig aus dem Haus. Mai und Sumitra sahen durchs Fenster auf die beiden Kinder, die vergnügt die Kekse aßen und mit Kreide neue Zahlen auf den Gehsteig malten.

»Das hat mir vor kurzem auch jemand gesagt, als ich auf den Bus gewartet habe«, sagte Mai leise. »Ein ganz junger Mann, vielleicht sechs- oder siebenundzwanzig Jahre alt. Ich stand in der Schlange, und er sagte ganz laut zu Freunden, er wünschte, alle Ausländer gingen endlich nach Hause. Jetzt sagen sie so was schon zu Ela. Warum sagen diese Leute so etwas? Wie kann man so böse zu einem Kind sein? Warum hassen sie uns?« Ärgerlich schlug sie auf ihren *Dal* ein.

Sumitra sah sie an. »Es gibt überall dumme Leute, die dumme Sachen sagen. Vergiß sie. Denk mal an unsere englischen Freunde. So etwas würden die nie sagen.«

»Die nicht, aber das ist was anderes. Im allgemeinen sind die Engländer schrecklich. Manchmal hasse ich sie. Denk nur an diese Frauen im Fremdenheim, wie die uns angesehen haben. Wie besudelt bin ich mir da manchmal vorgekommen. Und schau dir das Fernsehen an. Dauernd wird jemand überfallen, vergewaltigt oder umgebracht. Das ist ein wildes und rüdes Volk. So etwas gäbe es nicht in Indien. Da sind alle nett zueinander.«

Hart müßte man werden können. Sumitra wünschte sich eine harte Schale, um die heftigen Gemütsbewegungen, die sie aufwühlten, darin einschließen zu können.

»Das ist nicht ganz richtig, Mai«, entgegnete sie. »In Indien verhungern die Leute, und kein Mensch kümmert sich darum. Nicht alle Engländer überfallen Leute oder bringen sie um. In den Nachrichten wird immer nur gezeigt, was besonders sensationell ist. Außerdem – du hast ja nach England gehen wollen? Wir hätten ja auch nach Indien gehen können.«

Mai zog ihren Sari fest um sich und schnalzte mit der Zunge. Sie antwortete gereizt: »Ich habe es dir schon einmal gesagt. Wir sind hergekommen, damit ihr eine gute Schulbildung bekommt und euch gut verheiraten könnt. Das hätten wir uns in Indien nicht leisten können, und wir hätten nirgendwo wohnen können. Wären wir da krank geworden, hätten wir nicht einmal den Arzt bezahlen können. Mit vier Kindern ist das alles nicht so leicht.«

»*Und warum hast du dann vier Kinder bekommen?*« dachte Sumitra. Wenn man natürlich Dienstboten und Haus-Boys hat, dann spielt es keine Rolle, ob sich da zwei oder zwanzig Kinder tummeln. Wenn man aber nur wegen der Wohlfahrtseinrichtungen nach England kommt, darf man sich nicht wundern, wenn die Leute sagen, man soll dorthin zurückgehen, wo der Pfeffer wächst. Und wieder empfand sie sich als Brücke, nirgendwo zugehörig, als jemand, der das Problem von beiden Seiten sieht. Diese Fähigkeit, neutral zu beobachten, machte alles nur schwerer. Könnte sie doch nur so parteiisch sein wie ihre Mutter und Stellung beziehen! Mai war felsenfest von der Richtigkeit ihrer Auffassung überzeugt. Schließlich fügten sie niemandem Schaden zu, sie wohnten in ihrem Haus, gingen ihrer Wege und blieben unter sich.

Mai strich sich das Haar aus der Stirn. »Aber manchmal denke ich, es war ein Fehler. Vielleicht wären wir besser nach Indien gegangen. Dann wären wir wenigstens bei unseren eigenen Leuten.« Sumitra schwieg. Ihr zuzustimmen wäre nicht ehrlich gewesen. Aber ihr zu widersprechen hätte zu einer Szene geführt, in der Mai schließlich in Tränen aufgelöst Sumitra, Sandya und alle anderen bezichtigen würde, sie mißzuverstehen und ihre Opfer nicht genug zu würdigen. Nur wegen der Kinder war man ja hergekommen, Mai selbst wäre viel lieber nach Indien gegangen.

Sumitra wußte, daß Mai unglücklich und müde war. Sie hatte eine Arbeit in einer Schuhfabrik in Enfield bekommen, wo Inderinnen beschäftigt wurden, unterbezahlt natürlich. Jeden Morgen ging sie um halb acht aus dem Haus und kam am Abend nach einer langen Busfahrt wieder zurück. Da mußte sie sich dann um die Mädchen kümmern und den Ehemann trösten und bei Laune halten.

Die Wochenenden waren voll ausgefüllt: kochen, sauber-machen, zum Tempel gehen, Freunde besuchen und Besuche empfangen. Und außerdem mußte sie immer wieder mit der eigenen Angst und der Feindseligkeit der anderen fertig werden; die zeigte sich nicht offen, aber sie wußte, daß sie da war, und das war niederdrückend und lähmend.

Mai legte sich hin. Sumitra brachte ihr eine Tasse Tee, räumte die Küche auf und ging ins Wohnzimmer. Sie schaltete den Fernseher ein und rollte sich auf dem schäbigen Sofa zusammen, wo sie nervös an einem Loch im Polsterbezug herumstocherte. Sie starrte auf den Bild-schirm und versuchte, nicht zu denken.

Seit dem Umzug fühlte sie sich isoliert. Im Fremden-heim war eine ganze Gruppe von Freunden gewesen. In Hendon kannte sie niemanden. Ihre Schulfreundinnen wohnten in Finchley oder Highgate. Sie konnte also nicht einfach schnell jemanden besuchen, wenn sie Lust dazu hatte. Und ihr Vater erlaubte ihr nicht, am Abend wegzu-fahren. Es war immer schwierig, ihren Freundinnen zu erklären, warum sie gleich nach der Schule nach Hause gehen mußte. Ihre Mitschülerinnen standen dann in Gruppen schwatzend zusammen, und widerwillig löste sie sich von ihnen. Aber es mußte eben jemand daheim sein, um nach Ela und Bimla zu sehen.

Es war ihr auch nicht gestattet, in Discos oder auf Partys zu gehen. Dies war, laut Bap, ein übler und schmutziger Zeitvertreib. Was er vom Leben in England wußte, bezog er aus Boulevard-Zeitungen und, wie seine Frau, aus den Nachrichten im Fernsehen. Er sah sich selbst als Verteidiger des Glaubens, als eine Bastion gegen Rauschgift, Sex und Alkohol. Er liebte seine Töchter und wollte sie nicht durch diese abstoßende Kultur ringsher-um verführen und entehren lassen. Und so hielt er sie kraft seiner Persönlichkeit und der Gesetze der Tradition fest eingebunden in seinen Herrschaftskreis. Niemand ging hier in englische Clubs, niemand ging hier abends noch aus, und niemand hatte etwas auf Partys für Minderjährige zu suchen.

»Was wollt ihr denn?« fragte er und versuchte, das Unfaßbare zu begreifen. »Wir besuchen Freunde. Wir gehen zu Nagin. Wir gehen ins Kino. Wir gehen zum Tempel. Macht ihr euch denn nichts aus dem Tanzen im Tempel? Was wollt ihr denn in Discos? Das ist doch kein Tanzen, das kann doch jeder.« Er hüpfte durchs Zimmer und führte vor, wie seiner Meinung nach die jungen Leute heute tanzen. Sumitra und Sandya mußten unwillkürlich lachen. Ela und Bimla klatschten und sprangen hinter ihm her. »Da seht ihr's selbst«, bestärkte er sie. »So oft gehen wir aus. Wir gehen nach Leicester, nach Wolverton, nach Milton Keynes. Was wollt ihr denn in Discos?«

Ja, sie gingen nach Leicester, nach Wolverton, nach Milton Keynes. Aber alles, was sie von diesen Städten sahen, waren Küchen von innen.

Das einzige, was ihnen ihr Vater nun zugestand, war, daß sie alle gelegentlich Schulfreundinnen am Wochenende besuchen durften. Außerdem konnten sie immer welche nach Hause mitbringen. Das war im Grunde schon ein großer Sieg.

Als Sumitra Hilary und Lynne zu sich einlud, waren beide begeistert. Sie kamen in ihren besten Kleidern und waren von Ela und Bimla hingerissen. Bimla begrüßte sie mit ihrer Standard-Frage: »Kennt ihr Präsident Amin? Ich hasse ihn.« Aber jetzt sagte sie es ohne Überzeugung. Es war ihr einfach zur zweiten Natur geworden, wie eine gesellschaftliche Floskel. »Ist sie nicht lieb?« schwärmte Lynne. »Und Ela, die ist doch süß.« Sumitra stellte ihre Eltern vor, die scheu lächelten und ein paar Begrüßungsworte murmelten. Mai ging, um Tee zu machen, und Sumitra und Hilary kamen mit, um ihr zu helfen. Lynne fing an, Bap von der Schule zu erzählen. Er nickte verständig und warf hie und da ein »Gut, gut« oder »Nein, nein« ein, wo es ihm passend erschien. Lynne war entzückt, er hatte so einen reizenden Akzent. Als Sumitra mit einigen *Rasgollahs* hereinkam, wandte er sich gepeinigt an sie. »Wovon redet sie? Ich verstehe kein Wort.« Lynne jedoch dachte, er beglückwünsche Sumitra zu ihrer hübschen Freundin und fühlte sich geschmeichelt.

»Darf Sumitra nächste Woche zum Tanzen kommen?« fragte sie ihn. Hinter seinem Rücken verzog Sumitra das Gesicht; sie wußte, er würde sie nicht gehen lassen. Lynne zwinkerte ihr zu. Sie konnte alles von ihrem Vater bekommen, wenn sie sich auf seinen Schoß setzte und ihm den Nacken streichelte. »Es ist eine Schulparty, am Mittwoch.« Sie lächelte. »Bitte lassen Sie sie hingehen, Mr. Patel. Meine Mammi fährt sie auch wieder heim, bitte.«

Bap stand auf und ging aus dem Zimmer. »Er läßt mich nicht gehen«, sagte Sumitra. »Du brauchst gar nicht zu fragen.«

Am Wochenende darauf ging Sumitra zu Hilary. »Um sechs Uhr bist du wieder zurück«, sagte der Vater. Mrs. Patterson hatte Teller mit Sandwiches und Teegebäck auf den Küchentisch gestellt. Aus einer riesigen Porzellankanne goß sie Tee ein. Sumitra war überrascht, wie heruntergekommen das Haus und wie alt das Mobiliar war. Irgendwie hatte sie sich vorgestellt, Hilarys Wohnung sei ganz elegant eingerichtet. Mr. Patterson war Schneider, sehr groß, aber etwas gebeugt, mit einer Hornbrille, die ihm dauernd von der Nase rutschte. Hilarys Mutter war klein und dick und hatte sich drei Schürzen umgebunden. »Die trag' ich, um mich nicht schmutzig zu machen«, war ihre rätselhafte Erklärung. Hilary zuckte die Achseln und grinste.

»Ich zeig' dir mein Zimmer«, sagte sie. An den Wänden hingen Bilder von Rock-Sängern und Pop-Gruppen. Die Regale waren voller Lehrbücher. In einer Ecke stand ein altes Pult. Sie warfen auch einen Blick in Gregs Zimmer. Greg gehörte zur »Aufsicht« in ihrer Schule. Es war fast ein Studierzimmer mit allen möglichen Farbstiften, Stapeln von Papieren und naturwissenschaftlichen Zeitschriften. Auf dem Schrank stand ein Mikroskop.

Das Haus war alt, aber erfüllt von einer Atmosphäre der Warmherzigkeit und des Vertrauens. Hilary und Greg wurden als Gleichberechtigte behandelt, die ebenso wie ihre Eltern arbeiteten, und nicht als Dienstboten oder Menschen zweiter Klasse.

Lynnes Haus war ganz anders. Ihr Vater war Direktor in einer Firma, ihre Mutter eine elegante und gebildete frühere Schauspielerin, die jetzt in der Hilfe für Bedürftige und karitative Organisationen aufging. Lynne hatte ihren eigenen tragbaren Fernseher. Ihr Zimmer war mit einem Velours-Teppich ausgelegt; über dem Diwan lag eine rotschimmernde Satin-Decke. Sie aßen winzige Häppchen von Porzellantellern, die so dünn waren, daß Sumitra ihre Finger durch den Tellerboden sehen konnte. Im Garten hinter dem Haus hatte ein Shetland-Pony seinen Stall.

Da sie nun die Lebensweise einiger ihrer englischen Freundinnen gesehen hatte, war es für sie noch schwerer geworden, sich mit ihrer eigenen Lebensweise abzufinden. Ihre Tage bestanden aus Schule, Hausaufgaben und Haushalt. Außerdem hatte sie sich um ihre kleineren Geschwister zu kümmern. Nachts um zehn war sie so ausgelaugt, daß sie sich nur noch hinsetzen und auf den Bildschirm starren konnte. Ihre Mitschülerinnen dagegen, so war ihr Eindruck, gingen heim in eine saubere Wohnung, wo das Essen schon fertig war und eine lächelnde Mutter ihrem Kind aus dem Mantel half, Tee einschenkte, der hart arbeitenden Schülerin einen Sitzplatz freimachte und ihr Erfrischungen und kleine Häppchen brachte. Dieses rosige Bild hatte seinen Ursprung in einer Kakao-Reklame, überblendet von Hilarys Mutter, so wie Sumitra sie kennengelernt hatte. Der Gegensatz zwischen diesem Bild und ihrem Leben machte sie bitter.

Sicher, ihre Eltern wünschten sich natürlich eine Tochter, die in der Schule gut vorankam, aber wie sollte sie das erreichen, wenn so viel auf ihr lastete. Mit Sandya war das etwas anderes, sie war stärker in der Tradition verwurzelt und stellte weniger in Frage. Aber sie war erst zwölf. Vielleicht würde sie ganz anders reagieren, wenn sie erst erkannte, was für ein Leben auf sie wartete. Und die Kleinen, Ela und Bimla – im Augenblick waren sie noch glücklich und zufrieden. Die Schule machte ihnen Spaß, und sie freuten sich auf die Feiertage und die Feste zu Hause und im Tempel. Doch als junge Frauen – wie würden sie sich dann verhalten?

Auf diese Fragen wußte sie keine Antwort. Genausowenig wie auf die Frage, warum es Menschen verschiedener Hautfarbe gibt. Es gab doch gar keinen Grund dafür, oder wenn doch, war sie jedenfalls von der Möglichkeit, ihn einzusehen, heute genausoweit entfernt wie als Kind. Natürlich kannte sie jetzt die wissenschaftlichen Erklärungen der Anthropologie; die Menschen hatten sich in verschiedenen Weltgegenden unter unterschiedlichen Klimabedingungen entwickelt, so daß die Haut sich unter dem Einfluß des jeweils auszuhaltenden Sonnenlichts verfärbt hatte. Aber rätselhaft blieb, daß Menschen einer Hautfarbe glaubten, sie seien besser als die anderen. Und jetzt, da nach endlosen Völkerwanderungen Menschen einer Hautfarbe gezwungen waren, mit Menschen einer anderen Hautfarbe zusammenzuleben – warum paßten sie sich nicht einander an und vergaßen ihre eigene Hautfarbe?

Einmal war sie mit Martin und Maria im Park spazierengegangen und hatte spielende Hunde betrachtet. Ein Schäferhund war über den Rasen gestürmt, um einen kleinen Pudel zu beschnüffeln, ein Spaniel war hinzugekommen, bis schließlich sieben oder acht Hunde verschiedener Farben und Rassen miteinander spielten und sich herumwälzten. Sie waren in ihrer Hundenatur vereint. Aber die menschliche Natur vereint die Menschen nicht.

Gestalten huschten undeutlich über den Bildschirm. Die Tragödien und Phantasien anderer Leute lenkten sie von ihrer eigenen Geschichte ab. Das Leben, das sie vor sich liegen sah, war freudlos und trübe. Wäre sie nie nach

England gekommen, hätte es dieses Problem nicht gegeben; sie wäre in einer indischen Gemeinschaft aufgewachsen und hätte sich daran gewöhnt, die Traditionen fortzusetzen. Aber jetzt entwickelte sie sich in einer ganz anderen Richtung; um sie herum sah sie Jungen und Mädchen, die offenbar in der Wahl ihrer Freunde, ihrer Berufe, ihrer Ehepartner und in der Entscheidung über ihr Leben völlig frei waren, während sie selbst gebunden blieb. Täglich konnte sie einmal einen Blick ins Gelobte Land werfen, sie hatte sogar für kurze Zeit darin gelebt, aber jetzt war ihr der Zugang versperrt.

Am Abend vorher hatte ihr Maria gesagt: »Nicht alle Engländer sind so frei, wie du glaubst. Wir haben die Freiheit zu wählen, aber oft ist unsere Wahl durch unsere Möglichkeiten begrenzt. Sieh mich an.« Sie lachte. »Sieh mal, was ich mit meiner Freiheit angefangen habe. Ich bin sechsundzwanzig Jahre alt, habe ein zwei Jahre altes Kind und hause in einem winzigen, stinkigen Zimmer im Fremdenheim Antonio. Manchmal beneide ich die indischen Frauen. Die Ehemänner werden für sie ausgesucht, sie wissen, was das Leben ihnen bringen wird, und sie sehen ruhig und zufrieden aus. Ich sage nicht, daß ich so leben möchte, ich könnte es wahrscheinlich nicht aushalten. Aber vermutlich würden die auch nicht so leben wollen wie ich. Ich will nur sagen, Jean und Rita und ich, wir durften uns unsere Männer aussuchen, und wir haben alle danebengegriffen. Manche Engländerinnen haben gut gewählt und sind glücklich. Manche Inderinnen sind glücklich. Aber wirklich frei ist niemand. Wir sind alle irgendwie doch Gefangene unserer Familie, unserer Kultur und unseres Zeitalters.«

»Hör jetzt auf«, hatte Martin gesagt, »du redest ja wie ein Philosoph.«

»Hast du das gehört?« fragte Maria lachend. »Erst sagt er, wir sollen denken, und dann verbietet er einem den Mund.«

Sumitra seufzte. Auf dem Bildschirm verblutete ein

Cowboy. Sie stand auf und holte sich eine Bürste, setzte sich wieder aufs Sofa und bürstete ihr Haar mit langen Strichen. Sie würde viel Zeit zum Nachdenken brauchen. Vielleicht war es auch ganz gut, daß ihr Leben so durcheinandergeraten war, sonst hätte sie vermutlich auch zur Gruppe der nichtdenkenden Menschen gehört. Sie starrte wieder auf den Fernseher. Eine Frau tat Wunder mit einem Paket Waschpulver: schwarze Wäsche, die im nächsten Augenblick schon weiß war. Weiß, hell, rein, leuchtend. Weiß ist sauber. Schwarz ist schmutzig. Schwarz ist schön. Ein Kind ist schwarz, ein Kind ist weiß ...

Es war leichter zu glotzen als zu denken. Sie hörte, was die Lehrer sagten, verstand aber nicht, was die Wörter eigentlich bedeuteten. Sie hatte das Gefühl, als säße etwas auf ihrem Kopf, als trüge sie ein Schild um den Hals wie ein Leprakranker. Sie war braun in einer weißen Welt, eingeengt in einer freien Gesellschaft, alt in einem jungen Körper. Was immer sie tat, war falsch. Infolgedessen sah sie zu Hause fern und saß in der Klasse still an ihrem Pult, während ihr Geist den Körper verließ und zu verborgenen, sonnenbeglänzten Gefilden glitt. War die Arbeit getan, saß sie vor dem Fernseher. Er war ihr Hausgott, tröstend, belehrend, beruhigend, unterhaltend. Er war ihr persönlicher Guru, den sie nach Belieben an- und abdrehen konnte. In gewisser Weise war sie selber ein Teil dieser Massenunterhaltung, die jede Nacht ausgespien wurde. Es gab Geldschlitze für bestimmte Programme, Western, Tragödie, Nachrichten, Lustspiel, Dokumentar-Sendung. Was die Programme jeweils zeigten, ließ sich leicht voraussagen. Jede Sendung war fast immer eine Wiederholung des Grundschemas, das den Programmtyp bestimmte. Und es war ihr, als wäre ihr Leben, wie auch das der großen Heldinnen auf dem Bildschirm, nur die Wiederholungssendung einer längst gewesenen Aufführung, deren Textbuch lange vor ihrer Geburt geschrieben worden war.

In der Schule lasen sie *Macbeth*. Seine Vision von den Söhnen Banquos hatte sie gepackt, lauter Könige, eine Reihe hinter der anderen, bis in alle Ewigkeit. Sie hatte an Talika denken müssen, ihre Freundin von einst, deren Leben vorgezeichnet gewesen war. Sie war eine widerstrebende Braut gewesen, aber nun in Birmingham, an der Seite ihres Mannes, mit fünf Kindern, hatte sie zuletzt auf Salahs Hochzeit gleichgültig, fast zufrieden gewirkt. Lauter gehorsame indische Hausfrauen reihten sich endlos vor und hinter Sumitra auf, und sie wußte, irgendwo in diesen Reihen würde auch ihr Platz sein.

Deshalb sah sie fern. Sogar wenn Maria, Martin und Sally zu Besuch kamen, sah sie fern. Im Bereich des Fernsehers saß man sicher und warm.

11

Allmählich wurden die Familien im Fremdenheim nacheinander in Wohnungen untergebracht. Erst bekam Jean, dann Rita den langerwarteten ockerfarbenen Umschlag vom Wohnungsamt. Schließlich wurde auch Maria, die traurig dem Auszug aller ihrer Freunde zugesehen hatte, eine Wohnung angeboten. Alle Patels wurden zur Einweihung eingeladen, und zum Erstaunen Sumitras sagten Mai und Bap zu. Bestürzt stellte sie fest, daß sie alle nach so vielen Jahren in England jetzt zum ersten Mal in ein englisches Haus eingeladen worden waren.

Maria hatte sich an einem indischen Festessen versucht. »Ich hätte mich geschämt, Ihnen nur Tee oder Kaffee anzubieten«, sagte sie, »also habe ich hier etwas zurechtgemacht.« Unglücklicherweise bestand ihre ganze Einrichtung aus einem Campingherd, den Martin ihr geliehen hatte, einem dreibeinigen Stuhl von einer Müllkippe und dem Reisekoffer, mit dem sie nach Frankreich und zurück gereist war.

Sie hatte eine riesige Schüssel mit Reis, Erdnüssen und Tomaten gemacht. Die setzte sie auf einer Decke auf den Boden im Wohnzimmer ab. »Tut mir leid, Stühle haben wir nicht«, sagte sie entschuldigend und teilte verschiedene, angeschlagene Teller aus. Bap lachte. »In Indien keine Stühle.« Sie setzten sich taktvoll mit untergeschlagenen Beinen auf den Boden und bedienten sich aus der Schüssel. Schon nach kurzer Zeit gestanden sie, völlig satt zu sein.

»Es schmeckt ein bißchen komisch«, meinte Ela, »ist es angebrannt?«

»Ja«, gab Maria zu, »aber ich habe gedacht, es merkt niemand, und habe etwas mehr Kardamon und Butter reingetan, um es zu überdecken.« Sie ging hinaus, um Kaffee zu machen, und kam mit einem Tablett voller Tassen und Keksen zurück. Mai und Bap lächelten, als wäre es völlig natürlich und lustig, in einer leeren Wohnung ohne Vorhänge angebrannten Reis zu essen. Sally ließ sich in Mais Schoß fallen, zog sie an der Nase, betastete ihr Kastenzeichen und plapperte in ihrer unverständlichen Sprache drauflos.

Es schellte. Martin brachte Tüten mit *Samosas* und Kokosplätzchen, über die Ela und Bimla gleich herfielen. »Ich habe ein Bett auf dem Auto«, teilte er allen mit und fragte Bap: »Können Sie mir helfen, es reinzubringen?« Die beiden Männer hievten das Bett in den Flur. »In der Schule sagte einer, sie hätten zu Hause ein Bett übrig, da hab' ich's gleich abgeholt.«

»Toll«, Maria grinste überglücklich. »Ich habe schon gedacht, Sally und ich würden heute nacht im großen Koffer schlafen.«

»Die Wohnung gefällt mir«, sagte Sumitra, »richtig hübsch.«

»Du kannst immer herkommen, wenn du Lust hast. Du kannst sogar bleiben, wenn ich noch ein Bett bekomme. Ihr seid alle willkommen, ihr wißt das.« Als sie zusammen das Geschirr spülten, sagte Maria: »Ganz im Ernst, du. Wann immer dir danach zumute ist, entweder um mich zu besuchen oder einfach, um die Tapete zu wechseln oder still zu sitzen und nachzudenken, dann komm.« Sumitra schüttelte den Kopf. »Danke dir, Maria, ich weiß, du meinst es ernst, aber zu Hause ist so viel zu tun – Mai würde mich nicht für länger fortlassen. Ich dürfte dich mal besuchen, aber bleiben dürfte ich nie.«

Wenn ihn am Arbeitsplatz wieder irgend etwas besonders geärgert hatte, sagte Bap oft: »Wartet nur ab, bis wir erst unser eigenes Geschäft haben.« Davon träumten die Eltern: ein kleines Ladengeschäft mit der Wohnung darüber, so wie sich Jayant gerade eines gekauft hatte. Im Augenblick war das ihre große Sehnsucht, so wie sich viele englische Stadtbewohner sehnlichst ein Häuschen am Meer wünschten. Es war ein Phantasiegebilde, ein Traum, der sie auf langen Busfahrten und an trüben Tagen aufrecht hielt. Es war möglich, daß er nie in Erfüllung ging, aber er gab ihnen Kraft, das Leben zu ertragen. Bap und Mai sagten »Wenn wir erst unseren Laden haben«, so wie Mr. und Mrs. Jones sagten: »Wenn wir erst unser Häuschen haben.« Inzwischen waren sie vorübergehend in einer Wohnung untergebracht worden und weiterhin den Launen des Wohnungsamtes ausgeliefert.

Mit der Zeit hatten sie die Wohnung in Hendon liebgewonnen. Sie war warm und gemütlich, im Garten wuchsen Gemüse und Rosen, die sie gepflanzt hatten. In der Hauptstraße gab es zwei indische Gemischtwarenläden, was die Einkaufsprobleme weitgehend löste. Sie hatten sich sehr gut eingelebt und dabei fast vergessen, daß es sich ja nur um eine Übergangslösung handelte. Als dann eines Tages Mrs. Johnson auftauchte und lächelnd von der größeren Wohnung sprach, waren alle aufs höchste verblüfft.

»Fortis Green! Wo ist das?«

»Fortis Green! Wie kommt man dahin?«

»Fortis Green! Nein, wir bleiben.«

Mrs. Johnson war geduldig, aber unerbittlich. »Tut mir

leid. Ich weiß, so ein Umzug ist unbequem und macht Mühe, aber die Wohnung hier brauchen wir jetzt für andere Leute. Das Haus in Fortis Green ist größer, und Sie haben es für sich allein. Das Amt hat es für zwei Jahre gepachtet, und danach werden wir Ihnen Ihre endgültige Wohnung geben können. Verkehrsmäßig liegt es genauso zentral wie Hendon, und ganz in der Nähe ist die U-Bahn-Station East Finchley. Sehen Sie sich's mal an. Da sind vier Schlafzimmer, ein Wohnzimmer und ein sehr großer Garten. Die Kinder sind jetzt schon groß geworden, die brauchen doch mehr Platz.«

»Schon wieder müssen wir umziehen«, beschwerte sich Bap. »Zwei Jahre – und dann? Wie lange geht denn das so weiter? Die ganze Zeit in Uganda, da blieben wir in einem Haus, zwanzig Jahre lang im selben Haus. Ich bin das nicht gewohnt, dieses Hin und Her. Das ist ungesund.«

Auch Mai war aufgebracht. »Wie sollen wir denn Teppiche kaufen, wenn wir nicht mal wissen, wie groß die Zimmer sind, die wir zum Schluß bekommen?« Wie jedermann wollte sie ein Haus mit Teppichen und anständigen Möbeln, mit Farbfernseher und Waschmaschine. Sie war keine Spur anders als ein englischer Normalverbraucher, obwohl diese Feststellung sie empört hätte. »Wir haben noch Glück, daß wir überhaupt irgendwo unterkommen«, sagte Bap, auf einmal in sein Schicksal ergeben. »Wir müssen dankbar sein.«

Sie brachen auf, die neue Wohnung zu besichtigen. Mai ging in ihrem Sari kerzengerade wie ein Stock und hielt Elas Hand fest umschlossen. »Mai«, wehrte sich Ela, »du tust mir weh.« Aber Mai zerrte das Kind mit, als hätte sie nichts gehört. Bap und die anderen Töchter gingen hinterher. Mai wirkte völlig in sich eingekapselt. Sie haßte diese Umzüge, haßte es, neue Nachbarn kennenlernen zu müssen, von denen man nie wußte, ob sie nun freundlich oder feindselig waren. Jede kleinste Abweisung, jede Begegnung mit Fremden war ihr eine Qual. Und so marschierte sie denn hoch aufgerichtet, in gerader Haltung und mit verschlossener Miene, und hinter den Gardinen standen Leute und sagten: »Guck dir die an. Für wen hält die sich wohl?«

»Wir sind da. Haus Nr. 20«, sagte Bap und machte das Tor auf. Ela und Bimla sausten gleich ins Obergeschoß, die Eltern, Sumitra und Sandya untersuchten das Erdgeschoß. Da war ein riesiges Zimmer mit Tür in den Garten, wo noch, im Spätsommer, die Rosen blühten. Eine große Küche führte in ein Wohnzimmer, von dem aus die Blumen im Garten zu sehen waren. Sie mußten zugeben: es war herrlich.

Wieder einmal halfen Martin und Maria beim Umzug. Das Haus war unmöbliert, aber Maria, die so viele Möbel geschenkt bekommen hatte, daß sie sie gar nicht alle brauchen konnte, spendierte drei wackelige Stühle und zwei durchgelegene Matratzen. Bap kaufte einen Herd, und die Fürsorge lieferte ihnen mehrere Diwans und ein altes Sofa. Dieses Sofa wurde zum Familien-Jux. Die Federn ragten aus der Polsterung; wurden sie zusammengedrückt, gaben sie Töne von sich. Die Tonhöhe dieses musikalischen Sofas richtete sich nach der Person, die Platz nahm. Wenn Bap sich darauf niederließ, gab es einen tiefen, hallenden Ton, bei Mai ertönte ein Ächzen in den mittleren Lagen und bei den Mädchen je nach Gewicht ein entsprechend höherer Ton. Das Sofa wurde mit einem alten Sari überdeckt und auf ein Stück durchgetretenes Mattengeflecht gestellt.

»Ich mache mir Sorgen um meine Schwester«, sagte Sandya eines Tages zu Maria. »Fortis Green ist so abgelegen. An den Wochenenden sind wir praktisch von der Welt abgeschnitten. Da sitzen wir fest, mitten in der Wildnis, ohne Freunde.«

Maria brauchte nicht zu fragen, welche Schwester gemeint war. »Na ja, das ist sicher noch nicht das Ende der zivilisierten Welt«, entgegnete sie. »Ich werde euch immer noch besuchen, nach wie vor. So schnell kriegt ihr mich und Sally nicht los.«

»Ich weiß. Aber seit wir aus dem Fremdenheim ausgezogen sind, hat sich Sumitra radikal verändert. Immer hat sie gelacht und sich mit Leuten unterhalten. Jetzt hockt sie nur noch vor dem Fernseher. Ich glaube, sie wird noch verrückt. Sie hört mich nicht, wenn ich was sage. Sie sitzt da und glotzt, und wenn ich sie frage, ob die Sendung gut ist, fragt sie: ›Welche Sendung?‹«

Sumitra hatte wirklich das Gefühl, allmählich den Verstand zu verlieren. In den Straßen fühlte sie sich als Inderin, zu Hause empfand sie »englisch«. Nur als Sumitra fühlte sie sich nie und nirgends. Wer war Sumitra? Und was und wie sollte sie eigentlich empfinden? Maria hatte ebenfalls bemerkt, daß ihre Freundin sich verändert hatte, daß sie sich aus der realen Welt zurückzog wie eine Nonne ins Kloster. Maria spürte in Sumitra solch eine Kraft, solch eine Reinheit, als wäre sie aus allem Schmutz der Realität herausgehoben und könnte gegen die ganze Welt antreten – nur, im Augenblick fehlten ihr dazu die Mittel.

Mai nahm Sumitra mit zum *Hakim*. Das war ein indischer Arzt, der beide Behandlungsmethoden beherrschte: Er konnte sowohl nach der englischen Schulmedizin wie auch nach der alten Heilkunst des Ostens vorgehen. »Englisch oder indisch?« fragte er. Mai zögerte. »Wir probieren beides«, schlug er vor, »dann kann uns nichts passieren.« Er untersuchte Sumitra gründlich und stellte Blutarmut fest. Sie verließen die Praxis mit einem Fläschchen Sirup mit einem Etikett in Hindi und einem Rezept für Eisentabletten.

Sumitra nahm gehorsam die Tabletten und den Sirup. Als alles aufgebraucht war, fühlte sie sich immer noch müde. »Ich will nur noch schlafen«, klagte sie. Man nahm sie zum Tempel mit, wo die Lieder und der Singsang sie wohlig einlullten. Da trug sie einen Sari und fühlte sich sicher. Kaum war sie auf der Straße, fühlte sie sich gefährdet und erschöpft. »Ich wünschte, du würdest auf der Straße Englisch sprechen«, sagte sie zu ihrer Mutter,

»ich mag dieses Gujarati nicht in der Öffentlichkeit.« Mai sagte verdutzt: »Ich spreche doch nur Gujarati.«

Ein brahmanischer Gelehrter kam, um im Tempel zu predigen. Er ermahnte die Kinder, an ihrer Kultur festzuhalten und die Sprache der Eltern zu lernen. Sie sprachen alle etwas Hindi und Gujarati, aber nur wenige konnten es schreiben. Ein paar eifrige Strenggläubige organisierten unter der Führung von Jayant Abendkurse mittwochs abends. Sumitra war zutiefst dankbar, daß sie diese indischen Sprachen schon lesen und schreiben konnte, aber Sandya, die sich ohnehin schon über zu viele Hausaufgaben beklagte, mußte den ersten Kurs mitmachen. Jayant, von dem hohen Ziel begeistert, holte sie ab. Seiner Meinung nach war das ein Weg, um die Reinheit der eigenen Kultur zu bewahren und die indische Gemeinschaft zusammenzuhalten. Die Freundschaft seiner Verwandten mit Maria und Martin war ihm immer verdächtig vorgekommen, und er hatte versucht, seinen Schwager in diesem Punkt etwas zu beeinflussen. Aber hier blieb Bap unnachgiebig. Martin und Maria waren gute Freunde, sagte er und duldete kein Wort mehr gegen sie.

Als Sandya zurückkam, weigerte sie sich, noch einmal hinzugehen. Das Alphabet kannte sie schon, und der Lehrer ging ihr zu langsam vor. Sie brauche lediglich etwas Übung im Lesen, sagte sie. Sie einigten sich auf einen Kompromiß. Motiben hatte ohnehin vor, nach Indien zu reisen, und sie baten sie, von dort die Anfangslehrbücher in Hindi und Gujarati mitzubringen. Motiben nahm den Auftrag an, aber dann waren da so viele Freunde und Verwandte, die sie wiedersehen mußte, daß sie ihr Versprechen in der Aufregung vergaß. Erst am letzten Tag fiel es ihr wieder ein. Sie schickte einen Diener zum Basar, die Bücher zu kaufen, und als er endlich mit den eingepackten Büchern kam, stopfte sie sie hastig in ihre Tasche und eilte zum Flugplatz.

»Hoffentlich vergißt sie die Bücher«, sagte Sandya, »ich hab' sowieso schon soviel zu tun.«

»Kann ich dir nachfühlen«, sagte Sumitra teilnahms-
voll, »genauso geht's mir. Dauernd ist da ein Aufsatz oder
ein Bericht zu schreiben, und bei all den Gästen, die wir
haben, stehe ich ja nur noch in der Küche. Das ist alles so
sinnlos.«

Sie haßte Besucher; sie hielten sie vom Fernsehen ab und
zwangen sie, immer mehr *Chapattis* und mehr *Samosas* zu
machen. Die Gäste kannten offenbar auch nur ein Ge-
sprächsthema.

»Wie war das Leben in Uganda doch so schön. Weißt du
noch, Charulatah, wie da die Sonne immer geschienen
hat? Erinnerst du dich noch an das Diwali-Fest in Kampala?«

Aber Sumitra erinnerte sich noch an ganz andere Sachen. Sie erinnerte sich, wie manche indischen Damen
über ihre afrikanischen Dienstboten geschimpft hatten:
»Schmutzig, dumm und faul.« In England waren die Inder
jetzt selber abgestempelt – als gierig und habsüchtig,
obwohl sie das nicht mehr und nicht weniger waren als
irgendeine andere Volksgruppe. Sumitra dachte an Cooky. Sie war nicht dumm gewesen. Sie konnte nicht lesen
und schreiben, war aber auf ihre einfache Art klug und
voller Geschichten und voller Liebe. Warum sollte ihren
Kindern denn eine Schulbildung verwehrt bleiben, warum
sollten die nicht auch ihr eigenes Land verwalten können?

»Das ist wirklich ungerecht«, empörte sich Sandya,
»daß immer nur die Mädchen kochen müssen. Ich
wünschte, die Männer würden mal mithelfen.«

»In der Schule ist es genauso«, meinte Sumitra. »Ich
habe Mr. Rogers gesagt, ich würde gerne den Kurs ›Pflege
und Wartung des Autos‹ mitmachen. Da hat er nur gelacht
und gesagt, Mädchen würden da nicht gern genommen.
Ich war so sprachlos, ich konnte gar nichts sagen. Chan-
cengleichheit in der Schule! Die gibt's nicht. Hier zu
Hause wird jedenfalls nicht so getan, als ob wir gleichbe-
rechtigt wären. Wir sind's einfach nicht. Wir sind alle Baps
Dienstboten.«

»Das macht einen ganz krank«, rief Sandya, »wenn man sieht, wie die Gäste kommen und die Frauen alle in die Küche rennen, um das Essen zu machen, und die Männer sitzen gemütlich im Wohnzimmer und plaudern.« Und so war es; die Frauen bedienten zuerst die Herren und aßen dann getrennt in einem anderen Zimmer.

»Ja, aber Maria hat gesagt, als sie klein war, da ist ihr Papa immer ins Wirtshaus gegangen, und ihre Mammi mußte den Haushalt machen. Es hat sich nicht viel geändert, meint sie, nur die Gesetze haben sich geändert.« In dieser Beziehung war die indische Gesellschaft ehrlicher. Niemand tat so, als hätten Männer und Frauen gleiche Rechte, niemand wurde getäuscht, und irreführende Gesetze gab es auch nicht.

Merkwürdig – das war ganz neu, daß sie die Machtverhältnisse in Frage stellten. Denn alle anderen schienen ganz zufrieden mit der alten Ordnung. Die weiblichen Gäste eilten geschäftig herum, um die *Samosas* möglichst genauso zu machen wie am Abend zuvor und wie sie morgen abend wieder ausfallen würden. Offenbar war es gleichgültig, *wo* sie sie machten, es war einfach die Pflicht der Frauen, *Samosas* zu machen. Sumitra und Sandya fanden es jedenfalls unglaublich ungerecht.

Martin und Maria kamen eines Abends vorbei, um ihnen einen alten Schrank anzubieten, den sie beim Trödler gefunden hatten. Martin schleppte den Schrank ins Wohnzimmer, und Maria steckte den Kopf in die Küche.

Mai und Sumitra, beide von der Arbeit im Haus und in der Schule erschöpft, waren dabei, Mehl und Öl für *Chapattis* zu vermischen und Joghurt in den *Samosa*-Teig einzurühren. Außerdem wartete ein Haufen Senfkörner darauf, zerstoßen zu werden. Die Frauen hatten rote, verschwitzte Gesichter, ihre Haare und Kleider rochen nach heißem Fett.

»Keine Sorge, wir bleiben nicht lange«, versicherte ihnen Maria hastig. »Wir haben euch nur schnell den Schrank gebracht.« Sie schaute sich um, zögerte und faßte sich dann ein Herz. »Mrs. Patel, Sie wissen ja, wie gern ich indisch esse, aber Sie müssen zugeben, es dauert lange, bis das Essen fertig ist. Und jetzt werde ich Ihnen ein Geheimnis verraten.«

Sumitra übersetzte, während Maria eine spannungsvolle Pause einlegte. Mit gesenkter Stimme fuhr sie fort: »Es gibt ein Lebensmittel, das hier in Läden verkauft wird. Es ist länglich oder rund, und man kann es in Scheiben schneiden und mit Butter und Marmelade bestreichen. Es ist nicht teuer, und die Zubereitung dauert zwei Minuten. Sie sollten es mal versuchen.«

Mai lächelte. »Brot? Nein!« Maria nickte. »Brot, ja! Indisches Essen ist großartig, wenn Sie eine Menge Zeit haben – oder eine Menge Helfer. Und Sie haben beides nicht. Jetzt müßten Sie sich hinsetzen können und ausruhen, und jetzt müßte Sumitra Hausaufgaben machen können. Warum essen Sie nicht einfach in der Woche englisch und am Wochenende indisch? Es gibt viele Sachen, die man ohne Fleisch und Eier zubereiten kann, und Sie wären dann nicht immerzu müde.«

»Mr. Patel«, sagte Mai, »Mr. Patel, er nicht lieben.«

Sumitra ging, um Martin und Sally zu begrüßen und sich den Schrank anzusehen. An der Tür sagte Maria: »Dein Papa sollte mithelfen, dann ginge es ja, aber er macht's nicht. Er ist müde nach der Arbeit und müßte eigentlich wissen, daß es deiner Mammi genauso geht. Und du hast Hausaufgaben zu machen. Das ist alles nicht richtig.«

»Es ist nicht richtig«, gab Sumitra zu, »aber so haben wir unsere Ruhe. Ich kann nicht dauernd hadern und Einwände machen. Kommt mir sowieso vor, als täte ich nie was anderes. Aber ich will auch mal meinen Frieden haben.«

Motiben brachte das Buch für Sandya vorbei. Sandya dankte ihr niedergeschlagen und machte langsam das Päckchen auf. »Hoffentlich ist es das Richtige«, sagte

Motiben, »ein Diener von Ganesh hat's mir besorgt, aber ich hatte keine Zeit, es zu prüfen.«

Sandya grinste erleichtert, als sie das Buch triumphierend in die Höhe hielt. Von Gujarati war keine Rede. Es hieß »URDU IN EINER WOCHE von Dr. Y. L. A. Kabir, Dozent für Urdu, Sanskrit, Englisch«.

»Wollen mal sehen«, sagte Sumitra. Sie blätterte darin; am Ende des Buches standen oben auf den Seiten Geschichten auf Urdu in persischer Schrift und jeweils darunter die Geschichte auf englisch. Sandya las eine Übertragung und sagte dann: »Ich kann mir nicht denken, daß dieser Kabir wirklich ein Dr. und ein Dozent für Englisch ist. Hört mal zu.«

In etwas ungewöhnlichem Englisch wurde die Fabel von der Kröte und der Schlange erzählt, die sich um ein Stück Brot stritten. Ein Hund, der zufällig des Weges kommt, riet ihnen: »... halb-halb zu nehmen. Ein Adler fliegte über sie. Er auch hatte Hunger. Er ergriff die Streitenden, Kröte und Schlange, in seine Krallen und fliegte weg. Der Friede blieb auf dem Boden zurück.«

Der Friede blieb auf dem Boden zurück. Es ist doch so wenig, dachte Sumitra, ein wenig Frieden, ein klein wenig Raum für sich selbst, mehr braucht man nicht. Aber in der Schule wurde sie gedrängt, sich für Fächer zu entscheiden und sich zu den Prüfungen für die Mittelstufe zu melden. Sie wollte Stewardeß werden – seit ihrem Flug nach England. Das Bild der freundlichen Stewardeß im Flugzeug stand unverrückbar vor ihr. Sie wollte in der Welt herumreisen und hilflosen, verwirrten Leuten helfen. Aber die Zwischenzeugnisse waren schlecht. Die Lehrer beklagten sich, sie strenge sich nicht genügend an. Ob die sich wohl anstrengen könnten, dachte sie, wenn die im Haushalt mithelfen müßten.

Ihre Eltern wußten nicht, was sie in der Schule machte. Ihre Lehrer wußten nicht, was sie zu Hause machte. Es war, als hätte sie drei verschiedene Persönlichkeiten: Arbeitskollegin bei Hanbury, Schulmädchen und Tochter. Mai und Bap gingen niemals zu Elternabenden, sie wollten da nicht hineingezogen werden. Außerdem, machten sie geltend, sprachen sie ja kein Englisch. Dabei wurden sie natürlich durchaus mit den meisten Situationen fertig, aber es war eine gute Ausrede, eine, die Hunderte benutzten. »Ich verstehe kein Englisch« war nur eine Umschreibung für »Ich interessiere mich nicht dafür«. Sumitra versuchte also, diese drei Lebensstränge ineinander zu verflechten, damit sie eins würden, und dabei stellte doch jeder der drei seine eigenen Forderungen an sie. Schule, Arbeit, Haushalt – jedesmal eine andere Person, eine andere Verhaltensweise, ein anderer Ausblick auf die Zukunft.

12

Zwei große Ereignisse brachten etwas Licht in die Düsternis. Martin und Maria heirateten, und Bap kaufte eine Waschmaschine.

An einem Samstag nahm Mai Sumitra und Sandya mit zu den Wembley Saris. Der bengalische Verkäufer war äußerst zuvorkommend. Auf seiner Oberlippe glänzten Schweißtröpfchen, und sein ganzes Gesicht stand im Dienst der hohen Kunst des Verkaufens. »Kommen Sie, *Maharajin*«, sagte er zu Mai, nahm sie am Arm und geleitete sie zur Theke. »Gelber Stoff, sehr schön.« Sandya unterdrückte ein Kichern. Er sah ihr Lächeln und mißdeutete es als Zustimmung. »Und für die Kleine, purpur oder gold.« Er hielt ein Stück Seide mit Goldbordüre hoch. Sumitra strich mit der Hand über ein paar grüne und blaue Seidenstoffe. »Sehen Sie«, sagte er und deutete auf die Borte, »goldene Pfauen. Er wird so schön sein. So schön! Schön, schön.« Sie suchten sich vier Rollen aus und ließen sie einpacken.

Als sie zu Hause ankamen, taten ihnen die Arme weh

vom Tragen. Ela und Bimla rissen das Packpapier auf. »Mai, kannst du uns auch Saris machen?« – »Bitte, ich möchte so ein langes Kleid wie Bapti, machst du mir's, Mai?« Den ganzen Abend über wurde abgemessen, zugeschnitten und auf der alten klapprigen Nähmaschine gesäumt. Bap holte ein Stück Seife, das er kräftig gegen die Nadel rieb, aber die Maschine hörte trotzdem nicht auf zu rattern, und der neue Stoff wurde mit Seife gezeichnet. »Macht nichts, das riecht jetzt gut und sauber«, sagte Bap und sah beglückt zu, wie die Familie die farbenfrohen Stoffe auf dem Teppich ausbreitete und die Mädchen sich die Saris umhängen wollten.

»Nein, nein, so nicht«, sagte er und nahm Ela den Purpurstoff aus der Hand. »So geht das.« Er machte es vor, wickelte sich den Stoff um die Hüften, zog ihn glatt durch den Gürtel und warf das Ende triumphierend über die Schulter. »Seht ihr?« fragte er. Mai schüttete sich aus vor Lachen. »Du siehst aus wie Motiben!«

Es schellte an der Tür. Bap nahm schnell den Stoff ab und half mit, das Zimmer wieder etwas aufzuräumen. Ela sollte schon einmal durch den Briefschlitz spähen. »Ist nur Maria und Martin«, brüllte sie. »Mach auf«, sagte Mai. Die Besucher traten ein und sahen ganz verlegen aus. Sie tuschelten zusammen »Sag du's ihnen« – »Nein, du«, bis Sumitra sagte: »Was ist denn los? Hört auf herumzuzappeln und sagt schon, was los ist.«

Sally krabbelte auf Baps Knie und holte tief Atem. »Die Mammi macht Hochzeit, und der Martin wird mein Pappi, und ihr sollt alle kommen.« Da drängten sich alle erfreut um das Paar und gratulierten. »War ja auch Zeit«, meinte Sumitra, »ich habe mich schon gewundert, wie lange ihr braucht. Wann ist es denn?«

»Nächsten Monat. Ihr kommt doch alle?«

Maria sah so strahlend aus, daß Sumitra plötzlich ganz neidisch wurde. Würde sie selber jemals glücklich sein? Martin sah Sally zu, wie sie mit Ela und Bimla spielte. Er wandte sich zu Sumitra. »Ich habe gerade bei mir ausgeräumt, ich ziehe ja zu Maria. Dabei hab' ich meine alte Gitarre gefunden. Willst du sie haben?«

»Ja, gern.« Eine Gitarre hatte sie sich seit Monaten gewünscht. Hilary hatte Gitarrenunterricht in der Schule und hatte Sumitra ein paar Griffe beigebracht, aber Sumitra brauchte ein eigenes Instrument, um üben zu können.

Am nächsten Sonntag brachte Martin die Gitarre vorbei. Sie war sehr groß und hatte einen merkwürdig schrillen Klang. Er zeigte ihr ein paar Akkorde, die Sumitra sofort behielt. Für kurze Zeit verschwand sie in der Küche und kam dann zurück. »Hört mal zu«, und sie klimperte auf der Gitarre herum, »erkennt ihr's?«

Sie tippten auf verschiedene Lieder, jeder auf ein anderes, und schauten sie fragend an, ob sie richtig geraten hätten. »Ihr Idioten«, sagte sie ärgerlich, »hört ihr's denn nicht? Es ist *Greensleeves*.«

»Laß mich mal probieren.« Bimla zog ihr die Gitarre weg.

»Sumitra, komm in die Küche«, rief Mai.

Als sie das Tablett mit Tee und Gebäck hereingebracht hatte, nahm sie die Gitarre wieder an sich. Jetzt war der Klang so häßlich wie das Trompeten eines Elefanten. »Bimla«, schimpfte sie, »du hast sie ganz verstimmt.« Martin nahm die Gitarre und stimmte sie neu, aber als er die oberste Saite anzog, sirrte es unheildrohend, und sie riß.

»Ich besorge dir eine neue und ziehe sie dir nächstes Mal auf«, versprach er ihr. Sumitra seufzte. Sie wollte so gern lernen, auf der Gitarre zu spielen, und nun besaß sie sogar ein Instrument, aber viel Zeit zum Üben würde sie nicht haben. Doch selbst wenn sie jetzt Zeit hätte – eine fünfsaitige Gitarre nützte ihr auch nicht viel. Ihre Seligkeit hing jetzt von einer E-Saite ab.

Als Maria eine neue Saite aufzog, dachte Sumitra: Wenn sie nicht reißt, ist das ein Zeichen, daß ich durch die Prüfung komme. Maria drehte den Wirbel, und genau wie es Sumitra schon vorausgeahnt hatte, riß die E-Saite abermals. »Deine Schuld, nur deine Schuld, Bimla«, sagte sie verbittert. »Laß endlich meine Sachen in Ruhe, dann passiert so was auch nicht.«

»Da stimmt was nicht mit der Gitarre«, meinte Maria. »Drum hat sie Martin auch verschenkt.«

»Eine Frechheit«, protestierte Martin. »Die war jahrelang in Ordnung. Aber offenbar stimmt was nicht mit Sumitra.«

Sumitra nahm die Gitarre mit zur Schule. Der Musiklehrer nahm eine neue E-Saite und drehte den Wirbel langsam auf die richtige Spannung. Die Saite riß. »Komisch«, sagte er verwundert. »Wie ist das bloß möglich? So was. Also im Augenblick übst du am besten nur mit fünf Saiten.«

Es war zwei Wochen vor der Hochzeit und eine Woche vor den entscheidenden Jahresprüfungen. Die Gitarre lag vergessen auf einem Schrank.

»Ich wünschte, ich hätte mich mehr angestrengt«, jammerte Lynne im Speiseraum. »Mein Pappi tobt, wenn ich durchfalle.«

Hilary sagte: »Meine Mammi kauft mir einen Mantel, wenn ich durchkomme.«

»Mein Vater sagt, er nimmt mich von der Schule, wenn's nicht klappt«, erzählte Mark.

Sumitra wußte, daß sich ihre Eltern gar nicht darüber klar waren, wie wichtig gerade diese Prüfungen zur Mittelstufe waren. Sie hatte es ihnen erklären wollen, aber sie hatten nur genickt und weiter in Waschmaschinen-Prospekten geblättert. Alle hatten sie ihre Glücksbringer dabei: Hilary ein Heidekraut im Taschentuch, Sumitra ein kleines Elefanten-Amulett, das ihr Leela geschenkt hatte. Lynne trug ein vom Papst geweihtes Kreuz aus Elfenbein, und ein Junge hatte den Federhalter seines Vaters mitgenommen.

Sie stellten sich vor der Halle auf wie die Verdammten. »Ich hab' mein ganzes Französisch vergessen«, sagte Peter verzweifelt. Er schlug sein Buch auf und murmelte: »*Je suis, tu es, il est.*« Die Halle war jetzt verändert, Pulte und Stühle waren in langen Reihen hintereinander aufgestellt, auf jedem Pult stand ein numeriertes Schild.

Miß Watkins und Mr. Jones besprachen sich noch kurz ein letztes Mal, und Mr. Baxter, der Mathe-Lehrer, verteilte schon die Fragebögen. Ein Assistent vom Sozialamt brachte auf einem Tablett eine Wasserkaraffe und Gläser herein.

»Bitte setzen Sie sich jetzt an das Pult mit Ihrer Nummer«, rief Miß Watkins mit unnatürlicher Stimme. Sumitra hätte beinahe gekichert. Es war wie eine Posse; sie kannte alle Gesichter, kannte die Halle, aber irgendwie war alles verändert.

»Schreiben Sie Ihren Namen vorn auf die Antwortblätter«, kommandierte die Lehrerin. Sie schaute auf die Uhr. Es war fast halb zehn. »Sie haben drei Stunden Zeit. Bitte anfangen.«

Sumitra sah sich die Übersetzung an. Was bedeutete *pomme de pin*? Ananas oder Tannenzapfen? Sie hatte das Wort noch nie gesehen. Wanderte *le garçon* durch eine Pflanzung in den Tropen oder durch einen Wald im Norden? Beim Weiterlesen stieß sie auf das Wort *neige*, also Schnee, und schloß daraus auf einen Wald, und das heißt: auf den Tannenzapfen. Sie beendete die Übersetzung und ging an den Aufsatz.

Sie verglich die Titel, die zur Auswahl standen, und wählte sich den leichtesten aus: *Les vacances*. Darüber schrieb sie eine kleine erfundene Geschichte, Ferien in Leicester, *avec maman et papa*. Sie strengte sich verzweifelt an, die Seite voll zu bekommen, und da winkte John mit erhobener Hand nach weiteren Antwortblättern; Sumitra spürte Haß in sich aufsteigen. Ihr Gehirn registrierte, wie Miß Watkins dauernd durch die Reihen wanderte, wie ihre schweren Schuhe in aufreizendem Gleichmaß über das Parkett trampelten. Dann kam Mr. Jones herein und wisperte zehn Minuten lang ablenkend laut mit der

Lehrerin. Sumitra fragte sich, worüber sie wohl sprachen. War es etwas Dringendes? Sind die falschen Aufgaben ausgegeben worden? Oder will er nur wissen, was sie zum Essen wünscht? Nach der Prüfung marschierten sie hintereinander hinaus, kicherten dabei erleichtert und verglichen ihre Arbeiten. »Was heißt denn *pomme de pin*?«

»Ich glaube, Ananas.«

»Geht nicht, denn später heißt's: Jean war im Schnee.«

»Ach, das war doch nur eine Falle; im Schnee aß er Ananas aus der Büchse.«

»Ich bin durchgefallen, bestimmt«, sagte Anne aufgeregt, aber da sie in Französisch immer »Befriedigend« hatte, nahm sie niemand ernst.

Sumitra sagte anklagend zu John: »Du warst sicher prima. Du hast dir noch mehr Antwortblätter geben lassen.«

»Nein«, wehrte er ab, »ich hab' einen Haufen Mist geschrieben. Und ich schreib' halt groß. Aber du, du hast ja ganz zufrieden ausgesehen.«

»Du spinnst ja. Ich hab' nichts mehr gewußt.«

Und so ging es weiter. Manche waren überzeugt, durchgefallen zu sein, hofften aber gegen jede Wahrscheinlichkeit, der Prüfer würde sie noch durchwischen lassen; andere waren ziemlich sicher, bestanden zu haben, brauchten aber das Sicherheitsnetz des vorgeblichen Versagens zum Schutze vor eventueller späterer Enttäuschung oder Hänselei.

Die Prüfungen dauerten die ganze Woche – Russisch, Mathe, Englisch, Biologie, Hauswirtschaftslehre. Vor jeder Prüfung immer die gleiche Spannung und danach immer das gleiche Gejammer über das eigene schlechte Gedächtnis. Am Freitag abend fühlte sich Sumitra müde und reizbar. Zu Hause nahm sie ein heißes Bad. Am nächsten Tag war Marias Hochzeit.

Die Mädchen hatten neue Kleider und Saris an. Maria trug ein dunkelgrünes Kostüm und Sally einen einfachen weißen Rock. Martin sah fast schick aus in seiner alten grauen Strickweste und neuen blauen Hosen. Ein paar Kinder seiner Klasse warteten vor dem Standesamt, die Taschen voller Konfettitüten. Sumitra erkannte unter den Gästen Jean und Francis, Rita und Becky. Auch Mike war da, zusammen mit einem hübschen, blonden Mädchen. Martins Familie war vollständig versammelt, und mit Bill, einem seiner Vettern, kam Sumitra nach der Zeremonie auf dem Standesamt ins Gespräch. »Wollen Sie in unserem Wagen mitfahren zum Empfang?« fragte er. Baps Gesicht verfinsterte sich. Sumitra schüttelte den Kopf. »Besser nicht. Wir sehen uns dort.«

Marias Wohnung war mit Girlanden und Lampions geschmückt. Es gab Obstsäfte und ausreichend Bier und Wein. Jean leerte ihr fünftes Glas Whisky. »Auf euer Glück und eure Gesundheit, ihr Lieben«, sagte sie, und die Gäste erhoben ihre Gläser. Sie drängelte sich durch zu der Ecke, wo Bap und Mai standen, und legte ihren Arm um Baps Schulter. »Wir haben doch mal zusammen gewohnt, stimmt's?« sagte sie laut. »Gemeinsame Erinnerungen, mein Lieber – darauf gibt's einen Kuß.« Sie küßte ihn auf die Stirn, nickte Mai entschuldigend zu und schwankte dorthin, wo Bill und Sumitra ihre Adressen austauschten.

Bap war empört. »Kommt, kommt! Wir müssen jetzt gehen. Sofort!« Er holte die Kinder zusammen und bedankte sich bei Maria und Martin.

Als sie die Straße hinuntergingen, sagte Bap: »Habt ihr's gesehen? Diese Engländer! Martin und Maria nicht, natürlich nicht, die sind anders. Aber dieses Weib. Geküßt hat sie mich! Geküßt hat sie mich! So benimmt sich kein anständiger Mensch. Ich will nicht, daß ihr Mädchen euch mit weißen Jungen anfreundet. Ich verbiete das!« Sumitra faltete den Zettel mit Bills Adresse zusammen und zwinkerte Sandya zu.

Sie gingen zu Nagin. Es stellte sich heraus, daß Nagin einen Mann kannte, dessen Bruder einen Onkel hatte, dessen Sohn in einer Großhandlung arbeitete. Der konnte

Waschmaschinen mit Rabatt besorgen. Das Geschäft war in Hemel Hempstead. Sie zwängten sich in Nagins Auto und fuhren dorthin, um sich die Waschmaschinen anzusehen. Als sie eintraten, schaute Kirit, der Sohn des Onkels, Sumitra wohlgefällig und Mai bedeutungsvoll an. Mai registrierte die Blicke und nahm sich vor, mit Nagin nachher darüber zu sprechen.

Sie betrachteten die Waschmaschinen. Eine hatte ein extragroßes Sichtfenster, eine andere drei Einspülkammern. Es gab Maschinen mit fünf und solche mit zehn Programmen. Plötzlich erinnerte sich Sumitra, wie Cooky die Wäsche noch am Fluß gewaschen und den Schmutz auf den Steinen herausgeschlagen hatte.

Kirit befragte sie, beriet sie und führte vor. »Also sechs in der Familie. Das ist eine Menge. Da empfehle ich eine starke Maschine mit einem Programmwahlschalter.« Mai nickte. »Wir können am Montag liefern«, versprach er. Mai lächelte glücklich. Es war immer so viel Wäsche da, und Sumitra hatte nicht immer die Zeit dazu. Die Kinder brauchten jeden zweiten Tag frische Hemden für die Schule, und ihre Socken waren dauernd schmutzig. Sie selbst hatte keine Kraft mehr, die Kleider mit der Hand zu waschen, und sie hatte Angst, allein zur Wäscherei zu gehen. Eine Waschmaschine – das wäre fast wie ein Haus-Boy.

Am Montag nahm Mai sich frei, um das Aufstellen und Anschließen der Maschine zu überwachen. »Wo ist sie?« brüllten Ela und Bimla, als sie von der Schule kamen und ins Haus stürzten. »Wo haben sie sie hingestellt?«

»Sie ist nicht gekommen«, sagte Mai traurig.

»Also wirklich«, sagte Sandya erbittert, als sie erfuhr, was los war, »du und Bap, ihr könnt einen manchmal rasend machen. Warum habt ihr denn die Maschine nicht einfach in der High Street gekauft? Bloß weil Nagin jemand kennt, der wieder jemand kennt – warum mußtet ihr denn unbedingt zu dem gehen?«

»Das sind Inder«, erwiderte Mai. »Sie betrügen uns

nicht. Wir helfen ihnen, sie helfen uns. Wir sind hier Fremde. Wir müssen zusammenhalten.«

»Quatsch«, fauchte Sandya. »Die Maschine, die ihr bestellt habt, kommt aus Italien. Warum habt ihr sie nicht gleich über Antonio bestellt?«

Sumitra kam nach Hause. Den ganzen Tag hatte sie sich ausgemalt, wie sie die Maschine füllen und dann der herumwirbelnden Wäsche und der Waschlauge, die gegen das »extragroße« Sichtfenster spült, zuschauen würde.

Aber sie war nicht sonderlich überrascht zu hören, daß die Maschine nicht gekommen war. Bei ihnen war noch nie etwas zügig abgelaufen. Ihre Eltern suchten immer gern nach völlig abwegigen Gelegenheiten und kauften lieber bei jemandem, den sie von Uganda her kannten, als beim Kaufmann in der Nähe.

Bap rief die Großhandlung an. Kirit entschuldigte sich. »Tut mir furchtbar leid. Mein Lieferwagen ist kaputt. In dieser Woche kann ich nicht mehr liefern. Nächsten Montag, O. K.?«

Schließlich wurde die Maschine abgeladen. Einen Monat lang stand sie im vorderen Flur im Panzer ihrer Wellpappen-Verpackung, auf der in großen Buchstaben *Made in Italy* stand. Sie gewöhnten sich daran, die Kiste als Ablage zu benutzen, bis eines Tages Ela fragte: »Bap, wann benutzen wir eigentlich die Maschine?« Bap hatte sie völlig vergessen. Er hatte versprochen, seiner Frau eine Waschmaschine zu kaufen, und das hatte er gemacht. Er ließ sich eine Schere bringen und riß die Drahtklammern auf. Die Wellpappe fiel auseinander; Ela und Bimla stürzten sich darauf und eilten damit nach oben, um sich daraus ein Haus zu bauen.

Die restliche Familie stand um die Maschine herum und bewunderte sie von neuem. »Familienwäsche?« murmelte Mai erstaunt. »Was heißt das?« Sie sah im Geist die ganze Familie in die Maschine hüpfen, die sie so rein waschen würde wie ein Bad im Ganges. Sumitra lachte.

»Ich schreibe dir die ganzen Programme in Gujarati auf, wenn sie erst angeschlossen ist.«

»Ich überlege gerade, ob ich nicht einen Installateur kenne«, sagte Bap nachdenklich. »Da war doch mal einer, der ist nach Leicester gezogen...«

»Bap«, rief Sumitra aus. »Sieh mal, wir haben einen Rabatt von zehn Pfund bekommen, wegen unserer Beziehungen zu dem Verkäufer in der Großhandlung. Aber weißt du, wieviel die Lieferung gekostet hat?«

»Wieviel, wieviel – vielleicht elf Pfund?«

»Genau. Und in Muswell Hill liefern sie frei Haus. Und jetzt willst du einen Installateur aus Leicester, wo es doch einfacher und billiger wäre, hier einen um die Ecke zu finden. Ich guck' mal ins Branchenverzeichnis.«

»Halt mal! Moment mal!« bestimmte Bap. »Erst frage ich mal im Tempel.«

Am Sonntag, nach den Gebeten, erkundigte er sich, ob jemand einen Installateur kenne. Mohan kannte einen, der gerade auf Urlaub in Indien war und erst im nächsten Monat zurückkäme. »Gut, gut«, sagte Bap. »Wir haben keine Eile.« Er brauchte ja nicht zu waschen. Einen weiteren Monat lang staubte die Maschine ein, von allen bewundert und jeden Morgen gestreichelt, bis Fingerabdrücke die glänzenden Chromteile verunstalteten und Ela sie abwischen und das Chrom wieder polieren mußte.

Der Installateur kam von seinem Urlaub zurück. Eigentlich war er ja nur ein Elektriker, aber er sagte, er kenne sich mit der Rohrverlegung und der Installation einer Waschmaschine aus. Eines Samstags morgens kam er mit seinem Elektrobohrer und bohrte zwei Löcher durch die Küchenwand. Dann maß er die Maschine ab und stellte fest, daß sie nicht unter die zu niedrige Küchenplatte paßte. Pfeifend ging er weg, kam mit Gips zurück und machte die Löcher wieder zu.

»Maschine zu groß für Küche, wo wollen Sie ihr? Sie lassen in Flur vielleicht, ja? Jeder sehen, schöne Maschine, und ihr – reiche Leute.« Seine Vorschläge stießen auf

Schweigen. Er versuchte es noch einmal. »Waschmaschine in Wohnzimmer? Toll. Hat niemand. Oder kennt ihr, wer hat? Große Spitze. Machen neue Mode.«

Jedoch, Mai wollte die Maschine nicht im Wohnzimmer. Der Installateur seufzte. Er wünschte, er hätte sich nie darauf eingelassen. Da will man den Leuten einen Gefallen tun, und dann haben sie noch Ansprüche!

»Eßzimmer«, sagte Bap mit Entschiedenheit. »Waschmaschine in Eßzimmer!« Damit war es beschlossene Sache. Zwei Löcher für die Wasserleitung wurden durch die Eßzimmerwand gebohrt und die Schlauchleitungen angeschlossen. Der Installateur bekam sein Geld und verwandelte sich wieder in einen Elektriker.

An diesem Abend füllten sie die Wäsche ein und setzten sich dann zum Essen, um die Schau zu sehen, und das Wasser quoll aus dem großen Gehäuse der schweren Maschine.

Sumitra rannte zum Telefon und alarmierte den Installateur in der Nachbarschaft.

Am späten Abend, als ein frohgemuter Installateur mit einer Zigarette hinter dem Ohr die Waschmaschine richtig anschloß, erinnerte sich Sumitra unvermittelt an *pomme de pin*. Sie schlug im Wörterbuch nach und sah erleichtert, daß es tatsächlich »Tannenzapfen« hieß.

13

Atemlose Stille lag über dem Saal. Sumitra hob ihre Gitarre, warf ihr langes Haar zurück, spielte ein paar einleitende Takte und begann dann zu singen. Hell und klar erklang ihre Stimme, die Zuhörer hingen an ihren Lippen. Eine Frau in der ersten Reihe fing an, unbeherrscht zu schluchzen.

Als das Lied zu Ende war, erhob sich der Saal wie ein Mann. Alle jubelten und klatschten begeistert. Sumitra verbeugte sich und wollte die Bühne verlassen, aber damit war das Publikum nicht einverstanden. »Zugabe!« brüllten die Leute. »Noch eins, noch eins.« Sie lächelte und spielte noch ein Lied.

»Hör auf damit, Sumitra«, schrie Sandya aus dem Nebenzimmer und hämmerte erbost gegen die Wand. »Ich sitze hier über meinen Hausaufgaben.« Mai kam die Treppe hinauf. »Komm, du mußt mir helfen. Schluß jetzt mit der Gitarre. Ich wünschte, Martin hätte sie dir nie gegeben.« Sumitra schloß die Augen, als sie innerlich fast explodierte.

Sue Patel nimmt New York im Sturm. Die schöne junge Liedersängerin aus London wird über Nacht zum Star – die Balkenüberschrift, die sie im Geist gesehen hatte, verblaßte. Wütend riß sie noch dreimal über die Saiten und warf die Gitarre aufs Bett. Sie ging hinunter, wo ihr nun statt glorreicher Erfolge die scharfen Dünste heißen *Ghees* den Kopf benebelten.

Als sie die von Mai ausgerollten Scheiben in die Pfanne legte, überfiel sie Verzweiflung. Hilary und Lynne waren zum Tanzfest im nahen College gegangen, während Aschenbrödel Patel zu Hause, mehlüberstäubt, nach heißem Öl roch. Ruckartig drehte sie sich um und sah ihre Mutter an. »Machst du das gern, das Kochen und Backen hier?« fragte sie, fassungslos darüber, wie ihre Mutter das Tag für Tag aushalten konnte.

Mai war verwirrt. »Was du nur für Fragen stellst«, antwortete sie. »Ich weiß auch nicht. Frauen kochen eben für ihre Familien. Du mußt mir helfen und dabei lernen, einmal für deine Familie zu kochen. Du bist jetzt sechzehn. Wir müssen langsam daran denken, einen Mann für dich zu finden. Es ist gut, daß du das Examen bestanden hast. Da kannst du dich gut verheiraten.«

Sumitras Zunge wölbte sich von innen gegen die Lippen, als hätte sie einen Klumpen ungebackenen Teiges im Mund. Heftig drehte sie den *Poori* in der Pfanne um,

und alles in ihr wehrte sich – ›nie, nie, nie!‹ Aus dem
Brutzeln in der Pfanne hörte sie einen Pop-Song heraus:

> Die Lieder, die ich singen wollte,
> die sing ich nun nie mehr,
> den Flieder, den ich euch bringen wollte,
> den bring ich nun nie mehr.
> Soviel hab' ich erleben wollen
> und soviel Liebe geben wollen,
> doch zu erleben bleibt mir nichts mehr,
> und zu geben hab' ich nichts mehr.

Mai legte ihr die Hand auf den Arm, wo ein zarter
Mehlabdruck entstand wie ein Handabdruck auf der
Tempelwand. »Es wird schon werden«, sagte sie liebevoll
und ungewohnt sanft. »So ist es halt der Brauch. Du wirst
dich daran gewöhnen, du brauchst keine Angst zu haben,
wir gewöhnen uns alle daran.«

Es wäre Mai nie in den Sinn gekommen, daß ihre
Töchter ihre Lebensweise in Frage stellen könnten. Trotz
der schicken Kleider und der Pullis und Jeans, die sie am
Wochenende trugen wie alle Teenager, war Mai überzeugt, sie würden in ihrem ganzen Verhalten Inderinnen
bleiben. Darüber hatte sie auch niemals länger nachgedacht, für sie waren ihre Kinder keine unabhängigen
Wesen. Wenn sie sich ihrem Mann gegenüber besorgt
äußerte, dann nur darüber, ob die Töchter auch angemes-
sene Stellungen fänden, sich passende Freundinnen aus-
suchten und ordentliche Ehemänner heirateten. In jedem
Fall hing das Urteil darüber davon ab, ob die Wahl in Mais
Augen richtig war oder nicht. Auch Mai war ein Glied in
der langen Geschlechterkette; auch sie übermittelte ihren
Kindern gewissenhaft die Gedanken und Denksysteme,
die man ihr einst übermittelt hatte. Daß diese Traditionen
sich in einem anderen Zeitalter und in anderen Weltgegenden entwickelt hatten, das zählte nicht.

Mai zweifelte nicht daran, daß die Mädchen genauso ein

Leben führen würden wie sie selber auch, daß sie einen von den Eltern sorgfältig ausgesuchten Partner ehelichen und Kinder zur Welt bringen würden, die dann natürlich Gujarati und Hindi sprächen. Sie hatte zum Zweifeln auch keinen Anlaß, da sie überall andere Kulturen sah, die ihren Anhängern und deren Kindern ihre eigenen Grundsätze aufprägten und sie sorgsam von den englischen Traditionen fernhielten, obschon diese Traditionen sie auf allen Seiten umgaben. Sie hatte Synagogen gesehen, Moscheen, griechische und russisch-orthodoxe Kirchen, und hinter jeder dieser Einrichtungen stand jeweils eine Kultur, die energisch für ihre Eigenständigkeit eintrat.

Wie Tausende von Müttern in den Minderheitsgruppen verfügte auch Mai über viele Mittel, den Fortbestand der Tradition zu sichern. Man konnte Druck ausüben durch Gefühlsreaktionen oder gesellschaftliche oder finanzielle Einschränkungen. Auf diese Weise funktionierten inmitten der britischen Demokratie viele kleine Familiendiktaturen. In denen waren Kinder vielleicht einmal unglücklich, widersetzten sich wohl auch vorübergehend elterlichen Forderungen und trumpften trotzig auf – aber am Ende unterlagen sie den ihnen auferlegten Zwängen. Da weinten Mütter, sprachen Väter von ihren Opfern, schüttelten Großeltern mißbilligend den Kopf, und der Sohn oder die Tochter gab nach und wurde wieder in den Schoß der Familie eingesogen.

Das Leben ging weiter wie immer. Der Schrein wurde gesäubert und poliert, Sandelholzpaste wurde vorbereitet. Für die Götter blieben Opfergaben zurück, Rosen schmückten den Altar. Beim *Rakshabandan*-Fest flochten die Mädchen Gopal und Jayant Zöpfchen ins Haar, damit ihnen Glück und Gesundheit beschieden bliebe. Sie gingen alle zum Tempel und gelegentlich zu indischen Filmen und Tänzen.

Solange die fremde Kultur außerhalb ihrer Mauern blieb, war Mai zufrieden. Briefe und Nachrichten aus der fremden Welt wurden gar nicht beachtet; Aufforderungen, Aufgaben innerhalb der Schulgemeinschaft wahrzunehmen oder zu Elternabenden zu kommen, blieben unbeantwortet. Was hätten sie denn in der Schule tun können, sie und Bap? Die Lehrer würden das sowieso schon alles richtig machen, und im übrigen sprachen sie nicht Englisch. So lebte sie ungestört in ihrer Schutzhülle, verließ das Haus ohne Begleitung nur, um zur Arbeit zu gehen, und umgab sich mit Freundinnen, die sie noch von Uganda her kannte.

Sumitra und einige ihrer indischen Freundinnen fingen allerdings an, sich gegen die strengen Gesetze ihrer Gesellschaft aufzulehnen. Sie ärgerten sich darüber, im Tempel ins letzte Glied, in den Hintergrund verwiesen zu werden. Als Sexualobjekte lenkten natürlich Frauen die Männer vom Beten ab, deshalb beteten die Männer, während die Frauen hinten, hinter der Schranke, ihren Klatsch austauschen durften. Danach gingen die Frauen in die Gemeindeküche, um den Männern das Essen zu machen. Diese »Arbeitsteilung« verdroß die Mädchen; in der Schule hörten sie, sie sollten selbständig, kritisch und selbstverantwortlich vorgehen, zu Hause dagegen, sie müßten fügsam, unterwürfig und pflichtbewußt sein. Sumitra, durch die Schule an englische Lebensformen gewöhnt, mußte den Erwachsenen zuhören, die eben diese Lebensformen verdammten.

Sumitra lebte mit ihren Eltern unter einem Dach, ohne daß es gemeinsame Gespräche gab. Natürlich redete man – über Unwichtiges. Aber zu einem entscheidenden Thema, etwa zu dem Sinn des Lebens, hatten die Eltern nichts zu sagen. Da gab es keine Verbindung zwischen ihnen und Sumitra, schon Zweifel galt als Ungehorsam und konnte eine Szene heraufbeschwören. So kam es, daß Sumitra zu Hause eine Rolle spielte und in der Schule eine andere, aber welches nun ihre eigentliche Rolle war, das wußte sie auch nicht genau.

Manchmal kam etwas in den Nachrichten, was sie unmittelbar berührte. Wachsende Spannungen zwischen den Rassen entluden sich – in Notting Hill, Birmingham, Southall. Es geschah an verschiedenen Orten, aber die Ursachen waren immer die gleichen, mangelnde Voraussicht und Vorsorge von seiten der Regierung und eine feindselig eingestellte Bevölkerung, und die Einwanderer schlossen sich daraufhin noch fester zusammen. Die einen fühlten sich bedroht, die anderen zurückgestoßen.

Sumitra empfand den Druck von allen Seiten. Teils wollte sie als indisches Mädchen die großen Traditionen ihrer Kultur weitertragen, teils wollte sie jedoch teilhaben an der Freiheit des Westens.

Einerseits lasen sie von Zusammenstößen in Southall, wo junge Asiaten überfallen und sogar totgeschlagen worden waren. Das steigerte die Angst und zwang sie in die Gruppengemeinschaft zurück. Diese Rassenkämpfe machten die scharfen Grenzlinien zwischen den Einwanderern und der einheimischen Bevölkerung deutlich und gaben Bap Gelegenheit, seine wöchentliche Vorlesung über die höherstehende indische Kultur zu halten.

Andererseits las man aber auch hie und da vom Freitod asiatischer Mädchen, die sich mit einer arrangierten Hochzeit nicht abfinden wollten oder den Belastungen durch zwei verschiedene Leben nicht mehr gewachsen waren. Sumitra sah zu, wie wieder ein *Poori* aufging und braun wurde, und fragte sich, ob das der einzige Ausweg sei. Seit kurzem wünschte sie oft, sie wäre tot.

Am nächsten Morgen wachte Sumitra nach unruhigem Schlaf früh auf und starrte dumpf auf den rissigen Stuck an der Decke. Es bumste und kreischte von nebenan, wo Ela und Bimla Nachlaufen spielten. Die Sonne schien durch den Vorhang hindurch. Sumitra schloß die Augen. Die Vorstellung, ohne Ausweg eingeschlossen zu sein, erstickte sie fast. Wieder kam sie sich vor wie ein Figürchen in einer Glaskugel, hin und her geschüttelt von der Hand eines Riesen, der ihr Schicksal bestimmte.

Draußen hupte ein Wagen. »Ruhe da! Geht weg! Laßt

mich in Frieden!« rief sie laut. Dann schellte es. Ärgerlich vor sich hinbrummelnd zog sie schnell etwas an und ging die Treppe hinab. Ela hatte schon aufgemacht: Martin, Maria und Sally standen im Flur.

»Los!« sagte Martin. »Macht euch fertig und eilt euch. Es ist ein herrlicher Tag, und wir fahren nach Littlehampton.« Ela sauste weg, um Mai Bescheid zu sagen.

»Ich bin so froh, euch zu sehen«, sagte Sumitra und strahlte. »Ich mach' schnell Kaffee und pack' uns was zum Essen ein.« Eilends lief sie umher und füllte Picknick-Tüten, während Sally von ihrem Kampf mit Ben im Kindergarten berichtete.

Sie quetschten sich in das Auto, Mai mit Sally auf dem Schoß, Maria zwischen Ela und Bimla eingezwängt. Bap blieb zu Hause und freute sich über einen ruhigen Tag. Der Feiertagsverkehr war ziemlich stark, und der Motor wurde so heiß, daß sie öfter anhalten mußten, aber sie lachten und scherzten und sangen auf dem Weg zur Küste.

Sie fanden eine geschützte Ecke am Strand und packten die Tüten aus. Wie immer, wenn sie zusammen losfuhren, gab es »indisch« und »englisch« zu essen: Ei-Sandwiches, *Chapattis*, Tomatenbrötchen, *Pooris*, geröstete Kartoffel-Chips, *Chevra*, *Samosas* und Brotpudding. Die Kleineren liefen herum und sammelten Steine und Muscheln. Sandya planschte im Wasser, und der Wind preßte ihr das Kleid eng um die schmale Gestalt. Sumitra rollte sich die Jeans-Hosen hoch und stapfte zu ihr; jetzt fühlte sie sich wohl, gelöst und zufrieden. Mit großen Schritten ging Martin in einiger Entfernung in Richtung Landspitze.

Maria grinste Mai an. »Ein wunderbarer Tag, nicht? Ich bin gern am Meer. Ich habe Martin gesagt, heute müßten wir alle mal rausfahren.«

»Sehr gut.« Mai lächelte zurück.

Maria legte ihre Hand auf den Sand. Sie hob die Hand und sah auf die herausrinnenden goldenen Körnchen. »Wissen Sie, wie das heißt?«

»Nicht wissen.«

»Sand«, sagte Maria. »Sand«, wiederholte Mai. Maria hob eine Muschel hoch. »Muschel«, sagte sie. »Muschel«, wiederholte Mai. Maria seufzte. »Ich muß jetzt wirklich mal mit den Englisch-Stunden anfangen, einmal in der Woche.« Trotz aller guten Absichten war sie bis jetzt noch nicht dazu gekommen, ihr Versprechen wahrzumachen. Sie hatte ein Buch gekauft, »Englisch für Ausländer«, aber in all dem Hochzeitstrubel war es vergessen worden und lag jetzt noch unausgepackt in seiner Hülle. »Nächste Woche fangen wir an.«

Mai lächelte. Sie machte die Augen zu. Es war so schön, in der Wärme zu sitzen und die Sonne auf der Haut zu fühlen, fast wie in Uganda, wenn das Meer glitzerte und die Kinder um sie herum spielten.

Sumitra und Sandya kamen lachend zurückgerannt, schüttelten kaltes Wasser über sie und ließen sich in den Sand fallen. »Noch was zu essen da?« fragte Sumitra. »Ich hab' so einen Hunger.« Ela lief herbei. »Ich wünschte, wir hätten einen Ball mitgenommen.« Maria sagte: »Ich glaube, ich habe einen hier dabei«, und kramte in ihrem Korb. Sie spielten alle Fußball, bis Martin zurückkam, das Gesicht braungebrannt und vom Winde gegerbt.

»Es geht los«, rief er.

»Nein, nein«, kreischten die Kleineren, »wir sind doch gerade erst gekommen.«

Er lachte. »Es geht los im Rennboot. Aber wer nicht will . . .« Der letzte Teil des Satzes ging im Freudengeheul unter. Er führte sie zum Pier und rannte dabei mit den Kleineren schon vor. Sandya und Sumitra sahen sich im Vorbeilaufen noch ein paar Schaufenster an, während Mai und Maria gesittet hinterherkamen.

Mai zauderte. »Kommen Sie nur«, forderte Maria sie auf und führte sie am Arm. »Es ist herrlich.« Mai stotterte: »Ich nicht lieben.« Aber als Sandya rief: »Komm doch, Mai«, nahm sie sehr vorsichtig auf einem der Sitze Platz und zog den Sari fest um sich. Maria saß neben ihr und hielt ihren Arm. Der Wind fuhr ihnen durchs Haar, die

Gischt spritzte ihnen in die Augen. Hoch richtete sich der Bug gegen den Wind auf, während das Boot vorwärtsschoß. Kaum war die Fahrt zu Ende, rief Ela schon: »Noch mal, bitte, Mai, noch mal!«

»Das gibt's nicht«, sagte Sandya tadelnd. »Sei nicht so unverschämt.« Mai warf einen Blick in ihr Portemonnaie. Sie freute sich, daß die Mädchen soviel Spaß zusammen hatten. »Noch einmal. Bimla, Maria, Sandya?« Aber die wollten nicht mehr und stiegen aus.

»Hier, Sumitra, noch eine Runde für euch.« Mai gab ihr das Geld. »Was ihr braucht, ist eine Dauerkarte«, meinte der Bootsvermieter, als er wieder ablegte. »Festhalten!«

Die Mädchen klammerten sich ans Geländer. Mit aller Willenskraft wollte Sumitra das Boot noch schneller vorwärtsjagen lassen, das Tempo belebte sie und betäubte ihre Sinne. Der Fahrtwind peitschte ihr gegen das Gesicht, ihre Haare flatterten wild, hier war es einfach unmöglich zu grübeln oder sich Sorgen zu machen. Mit geschlossenen Augen ließ sie alle Anspannung aus sich herauswehen.

Es war komisch, wie verschieden die Dinge aussehen können. Gestern war alles noch schwierig und trüb. Und jetzt, nur weil Martin sie hinausgefahren hatte, war alles anders. Es ist eine Frage, von wo aus man schaut. Wenn sie einen Themse-Ausflug machten, kam es darauf an, wo sie standen, oben auf der Brücke mit Blick hinab auf ein Schiff, oder am Ufer stehend, oder auf einem Schiff, von dem aus sie den am Ufer lagernden Leuten zuwinkten. Doch wo sie selbst auch stand – sie blieb dennoch immer dieselbe.

Jetzt wurden ihr die anderen bewußt, die sie vom Ufer aus beobachteten. Der salzige Schaum spritzte gegen ihre Lider, und mit Mühe konnte sie die lachende Gruppe ausmachen, die an der Anlegestelle auf die Rückkehr des Bootes wartete. Sie fühlte die warme Hand ihrer kleinen Schwester in der ihren. »Könnte ich doch nur für immer hier bleiben«, dachte sie, »in immer größeren Kreisen dahinsausen, ohne je an Land zu kommen.« Das Boot verringerte sein Tempo und tuckerte langsam zum Pier, um anzulegen.

Ela umklammerte Sumitras Hand. »War das nicht toll?« Sie stürmte die Treppe hinauf zu Bimla. »Das war toll, noch tausendmal besser als das erste Mal. Wärst du nur mitgekommen.« Sie drehte sich zu Maria um und vertraute ihr an: »Bimla hat Angst. Sie hat Angst gehabt im Flugzeug, und sie hat Angst vor Booten. Sie ist ein Angsthase.«

»Ich bin kein Angsthase«, gab Bimla gekränkt zurück. »Du müßtest Ela mal sehen, wenn die Schule aus ist, wie sie sich dann hinter mir versteckt, wenn die Jungen hinter uns her rufen.«

Zusammen gingen sie zur Stadt. Maria hielt inne, um Sallys Anorak zuzuknöpfen; Ela und Bimla warteten neben ihr. »Was meinst du damit? Wer ruft euch was nach?«

»Die Jungen von der Finchley-Down-Schule.«

»Und was?« fragte Maria.

»Och, du weißt doch, Schimpfworte, Paki und Blackie oder so Zeugs.«

Maria blieb stehen, und Sally zog sie ungeduldig an der Hand. »Das ist ja widerlich«, sagte Maria. »Schimpft sie denn niemand aus?«

»Einmal hat sie jemand ausgeschimpft, aber meistens hört niemand hin.«

»Martin hat einen Freund, der in Finchley Down arbeitet. Den frag' ich mal, ob der nicht etwas tun kann.« Sie liefen schneller, um die anderen einzuholen. Geschlossen erreichten sie die Stadt und gingen zielstrebig auf Marios Café zu. Martin bestellte Kaffee, Kuchen und Eis. Mai sah glücklich und zufrieden aus. Ela und Bimla waren etwas erschöpft und lachten, und Sandya und Sumitra wurden nicht müde, Martin zu necken. Sally verteilte ihren Kakao übers ganze Gesicht, und Maria wischte ihn mit Papiertaschentüchern ab.

»Wir sind eine große Familie«, dachte Maria, »ganz

verschiedene Typen und Altersgruppen, aber durch Sympathie miteinander verbunden.«

Sie grinste. »Worüber lachst du?« fragte Martin. Sie lächelte ihn an. Neid durchfuhr Sumitra wie ein Stich, als sie diesen Blick geheimen Einverständnisses sah. Die beiden waren so glücklich. Sumitra freute sich natürlich für Maria, aber obwohl Maria immer sagte, daß sich nichts geändert habe und sie immer willkommen sei, machte das Zusammengehörigkeitsgefühl der beiden ihr die eigene Isolierung nur um so deutlicher. Bimla stopfte sich den Rest ihres Kuchens in den Mund. »Denkt dran, nächste Woche habe ich Geburtstag«, erinnerte sie die Runde und verstreute ihre Krümel über den ganzen Tisch. »Du mußt etwas langsamer essen, sonst bist du nämlich schon vorher erstickt«, riet ihr Martin. »Und überhaupt«, setzte Maria hinzu, »wie können wir das vergessen, wo du es uns doch seit Monaten immer wieder einbleust.«

Sumitra hatte einen Kuchen beim Bäcker um die Ecke bestellt, und Mai und sie hatten fleißig Gebäck gebacken und Berge von Essen vorbereitet. Auch Motiben, Leela, Jayant und Klein-Trupti waren angesagt.

Am Sonntag stellten Sumitra und Sandya das Büfett im Wohnzimmer auf. Auf dem Kuchen stand in blauem Zuckerguß HERZLICHEN GLÜCKWUNSCH, LIEBE BIMLA. Kurz nach dem Mittagessen kamen Motiben und die anderen und beschenkten Bimla. Ela drückte ihr Gesicht gegen die Fensterscheibe und hielt nach Martins Wagen Ausschau. »Sie sind da«, brüllte sie, als sie das Auto kommen sah. Maria winkte und holte dann mit Sally hübsch verpackte Päckchen aus dem Wagen.

Bimla und Ela stürmten zur Tür. »Kommt rein, kommt rein«, forderte Bimla. »Von Jayant habe ich einen Schreibtisch bekommen und von Sumitra Stifte und einen Geburtstagskuchen, und Sandya hat mir ein Bleistift-Etui geschenkt, und Ela hat mir eine Katze aus Filz gemacht und Mai...«

»Laß sie doch erst mal reinkommen«, sagte Sandya lachend und befreite die beiden von Bimlas endlosen Erzählungen. »Kommt und setzt euch. Ihr kennt ja alle, nicht wahr?« Sie gingen ins Wohnzimmer. Sally wackelte zu dem gedeckten Tisch und grabschte sich ein Sandwich. Maria hob sie hoch und stellte sie irgendwo anders ab. »Du wartest, bis du drankommst«, sagte sie.

Bimla machte die Päckchen auf. Da waren Malvorlagen von Sally, von Maria stammten die Ölfarben, und Martin hatte eine kleine Staffelei beigesteuert. Bimla umarmte ihre Freunde. »Oh, danke sehr. Das habe ich mir wirklich gewünscht, Ölfarben und Staffelei. Mrs. Johnson meint, ich würde mal eine große Malerin. Und ich glaube, das werde ich auch.«

Mai und Sumitra boten zu essen an. Sie setzten sich alle auf den Boden, aßen und plauderten. Die Geburtstagskerzen wurden angezündet. Sally zerrte Mai zum Fenster. »Vorhänge. Müssen zu sein. Wie im Kindergarten.« Mai zog die Vorhänge zu, und alle sangen »Zum Geburtstag viel Glück« auf englisch und Gujarati. Unter großem Beifall blies Bimla die Kerzen aus.

»Gut, gut«, sagte Jayant und warf Ela in die Luft. »Wirst jetzt auch schon groß, was?« Bap legte indische Schallplatten auf, und sie klopften den Takt mit den Füßen mit. Sumitra setzte sich neben Maria. »Hast du nicht auch bald Geburtstag, Sumitra?« fragte Leela. »Du wirst doch jetzt siebzehn? Was hast du für Pläne?«

»Sie arbeitet bei mir im Geschäft«, sagte Jayant. »Da wartet eine freie Stelle auf sie.«

Sein Laden lag in einer Einkaufsstraße in Edgware. Da verkaufte er Süßigkeiten, Zigaretten und Zeitschriften, brauchte aber jetzt eine Hilfe. Sumitra sah ihre Eltern an. »Ich möchte in der Schule bleiben«, murmelte sie verlegen. »Ich weiß noch nicht, was ich machen werde.« Aber eines wußte sie genau: Für Jayant jedenfalls würde sie nicht arbeiten. Sie wollte Stewardeß werden, hatte das aber zu Hause noch nicht erwähnt. Mit Schulfreundinnen hatte sie darüber gesprochen, aber solange sie die Voraussetzungen nicht kannte, hatte sie keine Lust, sich zu Hause vorzeitig preiszugeben. Ihre Eltern würden natürlich entzückt sein, wenn sie für Jayant arbeitete, aber sie brauchte ein größeres Betätigungsfeld. Sie wollte aus der Eintönigkeit des Alltags heraustreten, Neues kennenlernen und immer wieder neuen Menschen begegnen.

Maria kam ihr zu Hilfe. »Sumitra sollte wirklich in der Schule bleiben. Wenn sie die Oberstufe erfolgreich abschließt, hat sie viel mehr Möglichkeiten, viel mehr Chancen . . .«

»Möglichkeiten, Chancen«, höhnte Jayant. »Sie ist eine Frau. Wozu braucht sie Chancen? Was sie braucht, ist ein Ehemann. Ich biete ihr eine gute Stelle, bis sie einen gefunden hat.«

Marias und Sumitras Blicke trafen sich. Was Jayant gerade Maria bedeutet hatte, war, sie solle sich um ihre eigenen Angelegenheiten kümmern.

Sally durchbrach das unbehagliche Schweigen, indem sie einfach ihren Orangensaft über Trupti ausgoß. Trupti heulte auf. Maria stürzte hinaus, um Lappen zu holen – und der peinliche Augenblick war überbrückt.

14

Schon vor der Hochzeit hatte Martin gewußt, daß Maria die miserabelste Köchin auf Gottes Erdboden war. Hinsichtlich der Mahlzeiten hatten sie sich freundschaftlich geeinigt: An Wochentagen machte Maria Essen aus Dosen und Tüten, und an den Wochenenden kochte Martin ein richtiges Mittagessen. Sie hatten auch die Hausarbeiten unter sich aufgeteilt. Eines Tages hatte Sumitra überrascht festgestellt, daß Martin die Treppe kehrte, während Maria und Sally spülten. »Mein Papa hilft niemals mit«, rief sie aus. »Weil deine Mammi so eine gute Hausfrau ist, drum!«

erklärte Martin und kehrte haufenweise Staub auf die Schaufel. »Maria nennt es Gleichberechtigung, die ganze Arbeitsteilung, aber ich nenn's Unfähigkeit.«

»Das meint er nicht ernst«, warf Maria ein. »Er tut nur so, als wäre er ein Pascha. Aber unter seiner rauhen Schale ist er ganz vernünftig. Ist ja auch richtig, nicht wahr, wir gehen beide arbeiten, also können wir auch beide im Haushalt helfen.«

An einem Samstag im Spätsommer luden sie Sumitra zum Essen ein. Maria hatte ein Essen nach Rezept gemacht, mit dem sie ihnen imponieren wollte. Der Tisch war hübsch gedeckt, im Mittelpunkt eine kleine Vase voller frischer Blumen aus dem Garten. Stolz kam Maria mit dem Essen herein und tat so, als sähe sie nicht, daß ihre Gäste schon in böser Vorahnung herumschnupperten. Sie setzte die Teller vor ihnen auf den Tisch. »Es muß ganz gut sein, ein griechisches Gericht, wirklich eine Delikatesse.«

Sally nahm einen Bissen und verzog das Gesicht. »Mammi, das schmeckt aber scheußlich«, wimmerte sie. »Sei nicht so garstig«, fauchte Maria, »das ist Huhn, in Zitrone gedünstet, und das ißt du auf, das schmeckt großartig.« Sie setzte sich, nahm selbst einen Bissen, würgte etwas und fing an zu lachen. Sumitra schluckte vorsichtig ein Stückchen hinunter. So etwas Ungenießbares hatte sie noch nie gegessen. Die Sahne war durch den Zitronensaft geronnen, und das Huhn schmeckte nach verdorbenem Fisch. Martin schaute sie alle empört an.

»Schluß jetzt!« befahl er. »Das wird jetzt gegessen, ihr Spießer, ihr. Da verhungern Menschen auf der ganzen Welt, und ihr wollt euch aufspielen.« Er schob sich eine volle Gabel in den Mund, und alle schauten gebannt zu. Er fing an zu husten. »Maria, du hast dich selbst übertroffen, es ist das Schlimmste, was dir je gelungen ist.« Sie brachen alle in Gelächter aus. »Los, Martin, iß auf!« spornte Sumitra ihn an. »Da verhungern Menschen auf der ganzen Welt, die das liebend gern essen würden.«

»Unsinn. Ein Scheck wär denen lieber.« Martin brachte die Teller hinaus und versenkte das Essen darauf in den Abfalleimer.

Schnell machten sie sich Marmeladenbrote. Martin fragte Sumitra, wie sie in der Schule vorwärtskomme. »Die Schule ist eine Quälerei«, antwortete sie. »Nein, wie ist das langweilig. Die meisten Lehrer behandeln uns wie kleine Kinder – na ja, nicht alle«, setzte sie hinzu, als Martin widersprechen wollte. »Es gibt auch Lehrer, die in Ordnung sind. Aber ich wünschte, ich könnte den ganzen Tag bei Hanbury arbeiten. Mike hat mich ein paar Freunden vorgestellt, und zum Mittagessen gehen wir in den Pub. Einer, Roger heißt er, kommt aus Neuseeland, wirklich ein interessanter Typ. Er weiß alles über die Maori, und ein paarmal sind wir noch mit anderen Freunden ins Museum gegangen...«

»Paß nur auf!« ermahnte sie Martin. »Wenn das dein Papa wüßte...«

»Ich weiß, wahrscheinlich bringt er mich um. Aber ich bin jetzt soweit, daß ich einfach manchmal dahin gehen muß, wohin ich will und auch mit wem ich will.«

»Na klar«, ermutigte Maria sie und teilte Kaffee und Gebäck aus.

Martin deutete darauf. »Hast du die etwa selbst gemacht?« fragte er mißtrauisch.

»Nein, sind gekauft.«

Erleichtert griffen Martin und Sumitra zu. »Du bist doch jetzt siebzehn?« fuhr Maria fort. »Wenn du jetzt noch nichts vom Leben hast, keinen Spaß, keine Freude – wann denn dann?«

»Ach, Maria«, seufzte Sumitra, als sie ihre Jacke anzog, um ins Büro zu gehen, »ich wünschte, du wärst meine Mutter.«

Sumitra fuhr mit dem 263er Bus zurück und war froh und glücklich. Maria und Martin munterten sie immer auf. Martin hatte sie geneckt, sie sei ein Mädchen, das immer nach der Mode ging, denn neuerdings kaufte sie sich Frauenmagazine und bemühte sich, modisch gekleidet zu sein. Was sie allerdings nicht in den Zeitschriften fand, waren Ratschläge für ein Make-up, das zu ihrem Teint paßte. Wie sollte sie ihre Augen betonen? Welchen Lippenstift sollte sie benutzen? Nicht, daß die wöchentlich erscheinenden Magazine keine kosmetischen Hinweise gegeben hätten – im Gegenteil, sie enthielten kaum etwas anderes. Aber die Tatsache, daß in England Millionen von Menschen indischer, westindischer, chinesischer oder anderer orientalischer Herkunft lebten, wurde einfach übergangen. Mode und Kosmetik gab es offenbar nur für weißhäutige Mädchen mit brünettem Haar.

Sumitra experimentierte also allein. Stundenlang probierte sie im Bad goldene, silberne oder gemischte Lidschatten aus, versuchte verschiedene Lippenstifttöne, bis irgend jemand ärgerlich an die Tür klopfte. Als sie sich wieder einmal mit ihren Cremetöpfchen und Lotions eingesperrt hatte, hörte sie unterdrücktes Kichern von draußen; sie öffnete die Tür und fand ein von Ela und Bimla bekritzeltes Schild an der Klinke hängen: SUMITRAS SCHÖNHEITSSALON – NICHT STÖREN!

An Samstagen wurde aus Sumitra eine Sue mit weit schwingendem Rock und farbiger Bluse und einem lässig über die Schultern geworfenen eleganten Jackett. Das offen getragene Haar hing ihr auf den Rücken. Von neun bis fünf war Sue selbständig, chic und schlagfertig wie die anderen Mädchen bei Hanbury. Sue gehörte hier zur Welt der Erwachsenen und war verantwortlich für das Büro, während die anderen im Verkauf arbeiteten. Die Rechenmaschine, die Telefonvermittlung, die Schreibmaschine, das waren alles Bestandteile ihres kleinen Reiches, über das sie mit Freuden herrschte – wenn auch nur an einem Tag in der Woche. Und das Knistern der neuen Pfundnoten in der Hand am Feierabend – fünf waren es jetzt – überraschte und entzückte sie immer wieder aufs neue.

Die anderen Mitarbeiter waren für sie alte Freunde. Die ganze Zeit zahlte sie insgeheim Geld auf ihr Postscheckkonto ein. Damit bewies sie sich ihre Unabhängigkeit. Die

Hälfte des Gehalts gab sie ihrer Mutter, um zum Haushalt beizutragen, die andere Hälfte sparte sie, um Kleider und Geschenke kaufen zu können. Aber über die Jahre hatten sich auf dem Konto dennoch fünfundvierzig Pfund angesammelt.

Zur Mittagszeit begleiteten Pat und Peter sie zur Sandwichbar um die Ecke oder in den Pub. Da Peter und Sumitra wie Achtzehnjährige wirkten, kam niemand auf den Gedanken, hier würden gesetzeswidrig Minderjährige bedient. Pat stellte fest, daß sie zwar fünfzig Jahre alt sei, aber wie eine Sechzigjährige aussehe, und daß sie damit insgesamt einen überreichlichen Ausgleich schaffe. Und obwohl Bap immer wieder gegen das Trinken und Rauchen wetterte, saß seine Tochter öfter in einer Lasterhöhle namens »The Five Feathers«, nahm einen einfachen Imbiß zu sich, trank Zitronensaft und rauchte ein paar Zigaretten.

Am Mittag im Pub zu sitzen, war einer der Höhepunkte der Woche. Mike war in eine andere Filiale versetzt worden. Aber sein Freund Roger und dessen Reisegefährten kamen oft in »The Five Feathers«. Manchmal ging Sumitra mit ihnen in die Tate Gallery, ins Science Museum oder zu einem Nachmittagskonzert; ihrer Mutter sagte sie dann, sie sei bei Lynne.

Inzwischen hatte sie herausgefunden, was nötig war, um Stewardeß zu werden: Mindestgröße 160 cm, körperliche und geistige Gesundheit, ansprechendes Äußeres; ferner mußte man einundzwanzig Jahre alt sein. Je mehr Fächer sie im Mittelstufen- oder Oberstufen-Examen erfolgreich bestand, um so größer waren ihre Chancen in diesem überlaufenen Beruf. Im übrigen konnte sie jetzt nur noch abwarten, bis sie einundzwanzig wurde.

Manchmal fragte sie sich, wie sie wohl ganz allein leben könnte, nachdem sie Teil einer so eng miteinander verbundenen Großfamilie gewesen war. Aber sie spürte, daß sie den Bruch wagen müsse. Dennoch war das alles noch so weit weg, daß sie sich jetzt noch keine Gedanken machte.

Weil sie sich nun selber etwas glücklicher fühlte, schien es ihr, daß auch die anderen sich ihr gegenüber freundlich verhielten. Mai ließ sie in Ruhe, sofern die Hausarbeit gemacht war. Sandya half ihr bei der Arbeit, und da sie nun viel mehr Leute kannte, kam sie sich im Elternhaus nicht mehr so eingesperrt vor wie früher. Sumitra lebte in einer verzauberten Seifenblase, vor jedem Leid geschützt.

Sie hätte nie im Traum daran gedacht, daß ausgerechnet Leela die Seifenblase zum Platzen bringen könnte. Seit Truptis Geburt hatten sie und Leela über vieles miteinander gesprochen, über das Leben in Uganda und in England, über Rassismus und die Zukunft. In vielen Dingen war Leela Sumitras Meinung, und sie gab ihr den Rat: »Laß dich nur nicht von denen zu einer voreiligen Heirat drängen. Du hast noch viel Zeit, gerade so ein hübsches Mädchen wie du. Heirate nicht mit achtzehn, auf gar keinen Fall, denn von der Hochzeit an bist du für den Rest deines Lebens nur noch der Sklave deines Mannes und seiner Familie.«

»Leela, du bist nicht glücklich mit Jayant?« fragte Sumitra niedergeschlagen.

»Ich bin weder glücklich noch unglücklich«, sagte Leela achselzuckend. »Ich hab' einfach getan, was man so tut. In Uganda haben alle jung geheiratet, es war halt der Brauch. Erst hier sehe ich Frauen, die bis fünfundzwanzig oder sechsundzwanzig ledig bleiben oder überhaupt nicht ans Heiraten denken, und erst hier stelle ich fest, daß mein Leben eigentlich verpfuscht ist. Aber es gibt auch Frauen, die sind ganz glücklich; es gibt auch Ehemänner, die ein bißchen mithelfen, anders als Jayant, die schon etwas westlich beeinflußt sind. Wenn wir nicht hergekommen wären, hätte ich nie so gedacht.«

Trupti patschte mit einer klebrigen Hand auf den Sari ihrer Mutter, und mit der anderen zog sie an Sumitras Rock. »Das ist unser Problem«, murmelte Sumitra. »Daß wir hergekommen sind.«

Ein unglücklicher Zufall wollte es, daß eines Samstags

morgens, fast vier Monate nach Sumitras erster Begegnung mit den Neuseeländern, Leela und Jayant von ihrem wöchentlichen Einkaufsbummel heimfuhren, als Sumitra und ihre Freunde gerade »The Five Feathers« betraten. »Sieh mal, Jayant«, sagte Leela beiläufig, »ist das nicht Sumitra?«

Jayant schaute auf, sah seine Nichte in einen Pub gehen und bremste so scharf, daß die Reifen quietschten. Das zornige Hupen hinter ihm brachte ihn wieder zu sich. Er fand einen Parkplatz und sprang aus dem Auto. »Du bleibst hier«, befahl er seiner Frau. Er war jetzt als Mann für die Ehre der Familie verantwortlich. Sumitra trieb sich mit weißen Kerlen herum und ging mit denen in einen Pub. Im Vollgefühl, die gerechte Sache zu vertreten, stürmte er in »The Five Feathers«.

Der beißende Geruch von Bier und Tabakqualm traf ihn wie ein Schlag ins Gesicht. Stolz richtete er sich auf und blickte sich um. Da saß sie mit ihren Freunden in einer Ecke, hatte ein Glas Orangensaft vor sich stehen und zündete sich eine Zigarette an. »Sumitra!« brüllte er.

Erschreckt schaute sie auf. »Was machst du denn hier, Jayant?« fragte sie, und ihr Herz raste. »Trinkst du etwas mit?«

»Machst du Witze? Seit wann geht eine Hindu in einen Pub? Du kommst nach Hause. Du kommst sofort mit nach Hause!« schrie er. Sumitra schloß die Augen. Es kam ihr vor, als hätte sie schon ihr Leben lang gewußt, daß dieser Augenblick einmal kommen würde, und als ob die Antwort, die sie so lang gesucht hatte, nun ganz nahe vor ihr läge. »Nein, ich gehe nicht nach Hause«, sagte sie. »Woher hast du gewußt, daß ich hier bin?«

»Das spielt jetzt keine Rolle, jedenfalls kommst du mit!« Er ergriff ihren Arm, zog sie vom Stuhl und zerrte sie hoch. Sie stolperte und fiel über Rogers Füße.

Roger hielt sie fest. »Moment mal«, sagte er. »Was

fällt Ihnen denn ein? Sue ist in meiner Begleitung, und soviel ich weiß, hat sie noch keine Lust zu gehen.« Sumitra sah sie beide an; sie wäre am liebsten im Boden versunken.

Der Wirt trat hinzu und forderte Jayant auf zu gehen. »Tut mir leid, Süße«, sagte er zu Sumitra. »Sie sind hier immer willkommen. Aber der nicht.« Voller Verachtung deutete er mit dem Daumen auf Jayant. »Raus mit Ihnen, und kommen Sie nie mehr her, Sie Radaubruder. Die junge Dame hier ist immer nett und friedlich, und ich verbitte mir Ihr Gebrüll.«

»Sie wissen wohl nicht, daß sie erst siebzehn ist?« schrie Jayant. »Sie verkaufen illegal Alkohol an Minderjährige.«

»Ich gehe«, sagte Sumitra, »ich kann nicht mehr.«

Sie gingen alle hinaus, und draußen stand schon Leela, die Jayant zurief, doch zurückzukommen und Sumitra in Ruhe zu lassen. Jayant fing wieder an zu schreien und drohte Sumitra mit erhobener Faust. Er versuchte, sie ins Auto zu stoßen, aber Roger hielt ihn fest. »Nach Hause mit dir, ich bring' dich nach Hause!« brüllte er immer wieder. Die Passanten wurden aufmerksam.

Roger bemühte sich, Jayant zu beruhigen. Sumitra hielt es nicht mehr aus. Sie riß sich los und lief die Straße hinunter zu ihrer Zuflucht, dem Büro.

Pat war schon früh zum Essen gegangen und füllte nun im Verkaufsraum die Vorräte auf. »Was ist denn los, Liebes?« fragte sie, als Sumitra tränenüberströmt hereinkam. Von großen, schmerzhaften Schluchzern unterbrochen, erzählte ihr Sumitra, was geschehen war. »Er haßt die Weißen, er versteht einfach nicht, daß ich gern mit allen Leuten zusammen bin, daß ich anders denke als er. Er will, daß ich bin wie er. Das kann ich nicht. Jetzt macht er mir mein Leben kaputt. Ich hasse ihn.«

Pat legte ihre Arme um das Mädchen. »Aber, aber, mein Schäfchen«, tröstete sie Sumitra. »Nimm's nicht so tragisch. Alle jungen Leute haben Krach mit der Familie. Genau wie ich, als ich jung war, mehr als genug. Meine Mama wollte nicht, daß ich Alf heirate, er passe nicht zu mir, und jeden Abend gab's Streit, so laut, daß man's in allen Straßen hörte. Aber ich hab' meinen Alf geheiratet und bin all die Jahre glücklich mit ihm gewesen. Laß dich nur nicht unterkriegen, Liebes, und laß dir von keinem was sagen. Zeig's ihnen!« Geschwind huschte sie in die kleine Küche, um Sumitra eine Tasse Tee zu bringen.

Als sie zurückkam, sagte sie: »Weißt du, Sue, du hast dich sehr verändert, seit du hier bist. Als du damals gekommen bist, warst du ein kleines Mädchen, sehr höflich, aber irgendwie auch sehr zurückhaltend. Aber jetzt bist du unbekümmert und heiter, und seit ein paar Wochen auch viel glücklicher als früher. Laß dir das bloß nicht von deinem forschen Vetter wieder austreiben.« Pat redete weiter, und jedes Wort war Aufmunterung und Trost. Sumitra hörte auf zu weinen, und Pat ließ sie allein, um sich einem Kunden zu widmen. Sumitra las die vor ihr aufgehäufte Korrespondenz. Aber sie konnte sich nicht konzentrieren. Was hatte Jayant vor? Sie konnte sich genau vorstellen, was zu Hause los sein würde. Jayant würde sie als Prostituierte und Trinkerin hinstellen. Mai würde zutiefst entsetzt weinen und Bap außer sich sein vor Zorn. Sie wußte, heute abend würde eine schreckliche Szene stattfinden, ein Unheil, das sich seit langem zusammengebraut hatte. Heute abend würde sie nicht nach Hause gehen können. Sie brauchten alle Zeit, um etwas Abstand zu gewinnen.

Das ganze Problem bestand im Grunde nur darin: Sie wollte mehr Freiheit, als man gewillt war, ihr zu geben. Sie war siebzehn, fast schon wahlberechtigt – aber was für eine Bürgerin war sie denn nun? Als britische Bürgerin würde sie in einigen Monaten einen Rechtsanspruch darauf haben zu sprechen, mit wem sie wollte, zu essen und zu trinken, was sie wollte, und sich anzuziehen, wie sie Lust hatte. Als indische Bürgerin wäre sie jedoch in ihrer ganzen Handlungsfreiheit eingeschränkt.

Sie wollte aber nicht wählen müssen, wollte eigentlich beide Kulturen verbinden und das Beste von beiden haben, die Tradition und die Zucht der einen und die Entscheidungsfreiheit der anderen. Aber das würde man ihr nie erlauben. Wollte sie zu Hause bleiben, müßte sie Inderin sein und nichts anderes, mit einer vorbestimmten Hochzeit einverstanden sein, ein vorbestimmtes Leben leben und in den ihr vorbestimmten Jahren vorbestimmte *Samosas* in vorbestimmten Küchen zubereiten. Wenn sie jedoch aus dem Haus gehen wollte, wäre sie ganz allein, würde vielleicht sogar von eben der Gesellschaft zurückgestoßen, zu der sie hindrängte. Wer kann sich denn entscheiden zwischen Einsamsein und Unterdrücktwerden? Das ist eine unmenschliche Entscheidung.

Sumitra wußte jedenfalls, daß sie an diesem Abend nicht nach Hause kommen durfte. Aber wohin sonst? Sie dachte an Maria, die hatte sie immer aufgefordert zu bleiben. Aber Maria und Martin waren nicht nur ihre Freunde, sondern die der ganzen Familie. Maria und Martin waren für ihre Eltern die einzigen gesellschaftlichen Berührungspunkte zu Engländern. Es schien Sumitra nicht fair, diese Verbindung zu gefährden.

Plötzlich fiel ihr Lynne ein. Lynne war vor einem Jahr schon von der Schule gegangen und studierte jetzt auf der Kunstschule. Sie fand die Telefonnummer in ihrer Tasche und rief an. Lynne war nicht zu Hause. »Mrs. Baker«, sagte Sumitra zu Lynnes Mutter und bemühte sich, ihre Stimme zu beherrschen, »bitte entschuldigen Sie die Störung, aber es ist etwas Furchtbares passiert. Kann ich vielleicht heute nacht bei Ihnen bleiben?«

»Aber selbstverständlich, Sumitra«, antwortete Mrs. Baker. »Erzähl mir jetzt nichts. Wann bist du im Büro fertig? Wir holen dich ab. Ich freue mich schon, dich wiederzusehen.«

Um fünf Uhr warteten Lynne und ihre Mutter vor dem Geschäft. »Mach dir keine Sorgen, Sumitra«, sagte Mrs. Baker, als sie auf der Heimfahrt Sumitras Geschichte gehört hatte. »Zu Hause rufst du gleich deine Mutter an und sagst ihr, wo du bist. Morgen früh fahre ich dich hin und versuche, ihr alles auseinanderzusetzen. Denk doch nur mal: Alles, was du gemacht hast, war, im Pub ein Glas Obstsaft mit Freunden zu trinken. Das mach' ich ihr schon klar, verlaß dich drauf.«

Aber Sumitra war verstört. Sie wußte, daß Mai nichts verstehen würde. Wie Lynnes Mutter das darstellte, klang alles ganz einfach. Aber mit Wörtern ist das so eine Sache. Man kann eine Situation oder ein Geschehnis mit Wörtern beschreiben und sagen: »So war das, so ist das passiert, und das ist alles.« Aber es ist eben nicht alles, es ist nur ein winziger Teil vom Gesamtbild. Es ist so, als ob jeder Mensch andere Sprachelemente und andere Lautbedeutungen benutzt. Manche englischen Wörter würde Mai nie richtig auszusprechen lernen, denn sie enthielten Laute, die es in Gujarati nicht gibt. Andererseits können auch Engländer bestimmte französische Wörter nicht richtig aussprechen und umgekehrt – sie könnten nicht einmal den Unterschied heraushören.

Jeder einzelne war nur in seinem eigenen Reich von Wörtern und Lauten zu Hause; Buchstaben in einem Alphabet gab es nicht unbedingt auch in einem anderen Alphabet. Die Menschen verstanden zwar im großen und ganzen den Sinn, erfaßten aber nicht die feineren Nuancen. In den Augen von Mrs. Baker hatte Sumitra lediglich im Pub mit ein paar Freunden ein Glas Orangensaft getrunken. Für Mai und Bap aber hatte Sumitra die Familie entehrt: Sie hatte die Gesetze übertreten, die bestimmten, daß Hindu-Mädchen nicht in Pubs gehen und niemals rauchen und immer in Begleitung sein müssen. Und in diesen zwei Fassungen, in diesen zwei Sprachen würden sich auch gleiche Inhalte immer verschieden anhören.

15

Sumitra sprach die halbe Nacht mit Lynne und Mrs. Baker. Sie rief zu Hause an und erzählte Mai, wo sie war. Mai fing an, hysterisch zu schreien, während Sumitra ihr erklären wollte, sie sei ja nur im Pub gewesen, um mit Freunden einen Saft zu trinken. »Wir sehen uns morgen«, sagte Sumitra und legte auf. Sie zitterte innerlich, sie war ganz krank. Lynne war hingerissen. Es war wie in einem Theaterstück – schöne, junge Heldin gegen tyrannische Eltern. Doch Sumitra kam es vor, als hätte in der trostlosen Tragödie, die sie nun schon ihr ganzes Leben lang vor Augen hatte, wieder eine neue Szene angefangen.

Lynnes Mutter war eine Expertin in der Nachbarschaftspflege, auf diesem Gebiet hatte sie in der Gemeinde schon seit Jahren ehrenamtlich mitgearbeitet. »Das kommt schon wieder in Ordnung«, sagte sie dauernd. »Sie müssen sich eben einfach umstellen, das braucht seine Zeit. Mädchen deines Alters machen ihren Eltern immer zu schaffen, egal, wo die Eltern herkommen. Sie haben wahrscheinlich noch gar nicht gemerkt, daß du erwachsen bist. Laß ihnen etwas Zeit.«

Sumitra lächelte traurig. Mrs. Baker war sehr lieb, aber sie verstand gar nicht, worum es ging. Ihre Arbeit in der Gemeinde sollte dazu führen, daß alte Nachbarn die neuen, fremden Nachbarn anlächelten und daß Menschen verschiedener Rassen sich ermutigt fühlten, zu kulturellen Abenden und Vorlesungen zu gehen. Mrs. Baker und ihre Kolleginnen, die ähnlich dachten, forderten für alle Gruppen die Freiheit, sich so äußern und darstellen zu können, wie es ihrer Art entspricht. Aber niemand hatte je daran gedacht, den Menschen innerhalb dieser Gruppen die Möglichkeit zu geben, aus dem festgefügten Schema auszubrechen. Wieder fühlte sich Sumitra in einer Sackgasse. Im Grunde begriff niemand, was sie wirklich brauchte oder wollte.

Am nächsten Tag fuhr Mrs. Baker sie nach Hause.

Sumitra saß schweigend neben ihr. »Ich komme mit rein, du hast nichts zu befürchten«, sagte Lynnes Mutter, als sie vor den mit Rosen bedeckten Mauern parkte. Im Vorbeigehen registrierte Sumitra, halb unbewußt, daß die Blütenblätter schon abfielen und die Blätter sich braun färbten. Sie ging über den kleinen Pfad und hatte das Gefühl, sie befände sich außerhalb ihres Körpers und schaute sich selber zu. Mrs. Baker klingelte. Bap warf die Haustür auf und fing gleich an zu brüllen, aber als er die englische Dame sah, beherrschte er sich. Stumm führte er sie ins Vorderzimmer. Es wurde selten benutzt, und die muffige Luft darin trug noch zur allgemeinen düsteren Atmosphäre bei.

Das Familiengericht war versammelt. Anklagevertreter: Bap, Mai, Jayant. Verteidiger: Sandya und Mrs. Baker. Ela und Bimla waren zu Motiben geschickt worden, um sie dem üblen Einfluß ihrer ruchlosen Schwester zu entziehen. »Sie sollen nicht verdorben werden«, hatte Mai am Abend vorher weinend hervorgestoßen, »sie müssen aus dem Haus.« So hatten also die beiden kleineren Mädchen die Nacht in Highgate verbracht, damit ihnen die unerfreulichen Szenen erspart blieben, die nun, wie jedermann wußte, unausbleiblich waren.

Bap eröffnete die Verhandlung. »Jayant sah dich in den Pub gehen. Er sah, wie du Wodka getrunken hast. Er sah dich mit jungen Engländern. Du hast die Nacht außer Haus verbracht. Du hast Schande über die Familie gebracht. Jetzt werden wir nie mehr für dich und deine Schwestern gute Ehemänner bekommen. Da kannst du sehen, was du angerichtet hast.«

Er fuhr mit seiner Strafpredigt fort, während Sumitra in Gedanken die Karos im Tapetenmuster abzählte; es waren immer sieben waagrecht und vier senkrecht, dann kam eine kleine Rose und dann wieder sieben waagrecht und vier senkrecht. Sieben Viererreihen, das machte achtundzwanzig Karos, in einer Senkrechten über die ganze Wandhöhe gab es fünfzig Rosen. Achtundzwanzig mal fünfzig machte eintausendvierhundert Karos. Auf dem Blütenblatt einer der Rosen war ein Fettfleck. Bap ließ keine Ausbesserung zu, da es nur eine vorübergehende Wohnung war, obwohl die Mädchen schon angeboten hatten, Farbe zu kaufen und den Fleck selber zu beseitigen.

Sumitra hörte nur mit einem Ohr zu. Wodka? Sie hatte keinen Wodka getrunken, aber das war nicht wichtig. Es kam nicht darauf an, was sie wirklich getrunken hatte, wenngleich Alkohol verboten war. Aber genausogut hätte sie Wasser trinken können. Wichtig war nur, daß sie eine bestimmte Grenzlinie überschritten hatte.

»Mr. Patel«, unterbrach Lynnes Mutter ungeduldig den zornigen Schwall von Gujarati-Sätzen. Jetzt war sie ein tüchtiges, sachliches Komiteemitglied, das energisch eingriff, um einen geschwätzigen Redner zur Ordnung zu rufen. »Ich verstehe natürlich nicht, was Sie sagen, aber ich nehme an, Sie sind Ihrer Tochter böse. Tatsächlich ist der Sachverhalt ganz einfach. Sumitra ist jetzt siebzehn, juristisch gesehen schon fast ein Erwachsener. Sie müssen ihr wirklich etwas mehr Freiheit lassen. Glauben Sie mir, ich verstehe Ihr Problem. Ich habe ja selbst eine Tochter, immer will sie ausgehen, schicke Kleider kaufen und machen, was sie will. Aber Sumitra hat ja nun wirklich nichts weiter gemacht, als mit Freunden ein Glas Saft zu trinken und bei uns zu übernachten.« Sie lächelte ihn strahlend an wie eine mitfühlende Mutter, die ja weiß, nicht wahr, wie schwierig diese Kinder sein können, die schon erwachsen sind.

»Hört nicht hin, hört nicht hin!« brüllte Jayant, der Hauptzeuge. »Sumitra hat den Tempel entehrt, hat die Familie entehrt und hat mich entehrt!«

Sumitra dachte: »Sieh mal an. Nur weil Jayant ein hohes Tier im Tempel ist, glaubt er, er muß jedem seine Ansichten aufzwingen.«

»Hört nicht auf die Weißen«, donnerte Jayant. »Korruptes Pack, das euch nur ausnutzen will.«

Lynnes Mutter wurde rot. Schweißtröpfchen traten auf ihre Stirn, und sie zog nervös an ihrer Perlenkette. »Ich gehe jetzt besser, Sumitra«, sagte sie. »Ich habe Gäste zum Mittagessen. Sollte es Ärger geben, ruf mich an, und ich komme sofort.« Sekundenlang blickte sie Jayant kalt an und verließ den Raum. Sie hörten die Tür zufallen und den Wagen abfahren.

Die Verhandlung ging weiter. Bis jetzt hatte Sumitra noch nichts gesagt. Wozu auch? Sie war schon überführt, es war alles schon entschieden, offen war nur noch das Strafmaß. Mai weinte, Bap brüllte, Jayant schrie. Jetzt versuchte Sumitra zu erklären. »Nur einen Orangensaft habe ich getrunken.« Überrascht stellte sie fest, daß sie ganz ruhig und sachlich sprechen konnte, während alles andere um sie herum wie Entengeschnatter klang. »Gut, ich habe eine Zigarette geraucht. Ich tu's nicht mehr. Gut, ich war mit Jungen zusammen. Na und? Es sind Freunde. Nein, es sind keine Inder. Na und? Unsere Herzen haben die gleiche Farbe. Warum soll ich denn nur indische Freunde haben, wenn wir schon in England sind? Das ist doch Heuchelei. Denkt doch an Maria und Martin. Engländer – aber ihr seid einverstanden, wenn sie uns besuchen oder uns ausführen.«

»Dann laßt sie eben nicht mehr herein«, zischte Jayant. »Es sind Weiße, und Weiße nehmen sich von uns, was sie brauchen.«

»Sei nicht so blöd«, schrie Sandya. Sie hatte stumm zugehört in der Hoffnung, Sumitra könnte sich allein verteidigen. Der gestrige Abend war fürchterlich gewesen. Ganz allein hatte sie den Verdammungen ihrer Eltern zuhören müssen: über die Übel, mit Engländern auszugehen, zu trinken, Fleisch zu essen, sich mit Weißen anzufreunden, zu rauchen – alles Übel, die Sumitra schätzte, wie Sandya wußte. Sandya sah nun selbst, daß auch ihr Leben bestimmt sein würde von Hausarbeit, gesellschaftlicher Abkapselung und Gehorsam – oder von unvermeidbarem Widerstreit und von Auseinandersetzungen. Sie hatte sich das alles so lange wie möglich fernhalten wollen, und es nutzte jetzt auch nichts, noch Öl ins Feuer zu gießen, aber sie konnte nicht zulassen, daß Jayant ihre Freunde verleumdete.

»Das ist doch Quatsch, Jayant! Maria bringt Mai Englisch bei. Martin nimmt uns im Auto mit. Das sind Freunde von uns. Hier gibt jeder jedem, sie nehmen sich nichts von uns!« Böse starrte sie ihn an, so lange, bis Bap sagte: »Wage du es bloß nicht, so mit Jayant zu sprechen. Raus mit dir! Auf dein Zimmer!« Sandya ging und knallte die Tür hinter sich zu.

Sumitra war nun allein, Sünderin unter lauter Gerechten. Zuerst wurde entschieden, sie nach Indien zu Verwandten zu schicken. Dann wurde entschieden, sie zu einer Tante in Wolverton zu schicken. Zum Schluß wurde entschieden, sie nach Milton Keynes zu schicken. Jedenfalls schien es unumgänglich, sie irgendwohin zu schicken, um sie selbst vor den schlechten Einflüssen ihrer Umwelt zu schützen und um die Schwestern vor Sumitras zügellosen Neigungen zu bewahren. Sumitra ließ sie reden. Sie fühlte sich ausgelaugt und erschöpft. Sie konnte das sowieso alles nicht mehr begreifen, sie begriff nur eines, daß nämlich die kurze Zeit des Glücks mit einem Schlage zu Ende war.

Die nächsten Wochen waren schwierig und voller Spannungen. Zu ihrer Überraschung stellte Sumitra erleichtert fest, daß Sandya auf ihrer Seite war; es gab viele Auseinandersetzungen zwischen Eltern und Töchtern. Ela und Bimla durften nach ein paar Tagen wieder heimkommen. Bimla ergriff die Partei der Eltern, während die launenhafte Ela sich weder um die einen noch um die anderen kümmerte. Sie malte ein Bild für Sumitra und legte es ihr aufs Bett. Sumitra war ihr dankbar. Verdrossen und schweigend saß sie bei Tisch. Sie durfte nicht mehr allein ausgehen: Sandya mußte sie samstags zur Arbeit begleiten und saß lesend im Büro. Nach der Schule hatte sie Sumitra abzuholen und nach Hause zu bringen. »Also ich komme mir vor wie eine Spionin«, sagte sie. Sumitras Arbeit in der Schule ließ nach. Sie sah keinen Sinn mehr darin, sich anzustrengen, wenn ihr ohnehin nie erlaubt sein würde zu tun, was ihr Spaß gemacht hätte. Einmal hatte sie das Thema vorsichtig bei Mai zur Sprache gebracht: was sie wohl über einen Job bei einer Fluggesellschaft dächte. Aber Mai hatte nein gesagt, sie müsse in Jayants Geschäft arbeiten, damit sie immer wüßten, was sie im Schilde führe, sie habe ja selbst bewiesen, daß man ihr nicht trauen könne. Sie sollte also im Laden arbeiten, abends heimkommen, die Hausarbeit machen, das Abendessen zubereiten, einen von den Eltern erwählten Gatten heiraten, zu Hause bleiben, um nun für einen anderen die Hausarbeiten zu erledigen und *Samosas* zu backen. Was hatte da die Schule noch für einen Sinn?

Jetzt fühlte sie sich wie eine alte Frau, die ihr Leben schon gelebt hat. Die Lehrer fragten sie, was mit ihr los sei; sie werde beim Oberstufenabschluß durchfallen, wenn sie sich nicht mehr anstrenge. Aber sie konnte ihnen nichts dazu sagen. Ganz im Hintergrund ihres Bewußtseins tauchten die Umrisse eines Planes auf, aber sie brauchte noch viel Zeit, um alles zu durchdenken.

Ganz allmählich wich die Spannung. Der Vorfall wurde nicht vergessen, aber es wurde auch nicht mehr darüber gesprochen. Doch war eine verstärkte Wachsamkeit bei Eltern und Töchtern zu spüren. Kurz darauf fiel ein Brief durch den Schlitz auf die Flurmatte. Er kam aus Indien, von Dadima, Baps Mutter. Sie teilte ihnen mit, sie komme nun endgültig nach England, habe endlich ihren Paß erhalten und sei in einer Woche bei ihnen.

Sie räumten das Vorderzimmer aus und stellten dort ein Bett auf. Mai und Bap freuten sich, daß die alte Dame bei ihnen wohnen würde. Das war auch im Hinblick auf Sumitra ganz gut, denn die Großmutter würde immer auf der Seite der Eltern sein und ihren Wünschen Nachdruck verleihen.

Sie kamen alle zum Empfang. Jayant fuhr sie zum Flugplatz, und die Mädchen warteten aufgeregt, als die Fluggäste ausstiegen. Eine alte Frau in weißem Sari humpelte langsam durch die Ankunftshalle. Bap ging auf sie zu und umarmte sie. Darauf stellte er ihr die Familie vor. Keines der Mädchen hatte die Großmutter je gesehen.

»Die mag ich nicht«, flüsterte Ela Bimla zu. »Ich kann die noch nicht mal verstehen.« Die Großmutter sprach ein anderes, reineres Gujarati als die Familie, deren Gujarati schon mit vielen Suaheli- und Hindi-Wörtern vermengt war. Zu Hause angekommen, setzte sie sich barfuß auf den Boden, ein Bein untergeschlagen, nickte ihren Enkelkindern zu und erzählte lächelnd von Freunden und Verwandten. Nach wenigen Tagen hatte sie klargestellt, wer im Haushalt zu bestimmen hatte. »Sumitra, dieses Kleid kannst du nicht tragen! Es ist ein schlechtes Kleid, ich kann deine Arme und die Halspartie sehen. Warum trägst du keinen Sari?« Dann hatte sie Sandya im Visier. »Wie kann deine Mutter dich nur mit solchen Schuhen gehen lassen? Sie sind viel zu hoch. Nur Verrückte tragen solche Schuhe. Zieh dir indische Sandalen an.« Aber auch die Kleinen kamen dran. »Ihr habt euch die Haare schneiden lassen. Das ist schlecht. Das ist gegen die Sitte. Ihr müßt das Haar jetzt lang wachsen lassen.«

Wenn Bap abends von der Arbeit kam, kommandierte sie: »Holt ihm die Pantoffeln, ihr Mädchen. Macht ihm Tee. Laßt ihn hier sitzen. Ah, euer Vater ist müde.« Die Mädchen waren selber müde, aber das kümmerte niemanden. Bap wurde jedenfalls umsorgt wie nie zuvor.

Ähnliches spielte sich ab, wenn Jayant und Gopal zu Besuch kamen. »Laß deinem Onkel diesen Bissen hier, er ist saftiger. Ich nehme mir das angebrannte Stück, ich bin nur eine Frau. Er hat nicht genügend. Hier, nimm von meinem Teller. Iß nur, Jayant, du arbeitest so schwer, du siehst so müde aus. Er soll sich ausruhen ... so ... so ...«

Sumitra und Sandya litten unter ihrer strengen Herrschaft. Die Frauen mußten alles für die Männer tun. Die

Männer wurden von vorn bis hinten bedient. »So ist es der Brauch.« Es war allerdings nicht der Brauch, daß hier junge Mädchen bedienten, die sich ihrer ganzen Ausbildung nach ihren Brüdern ebenbürtig fühlten. An die Stelle unterwürfiger Sklavinnen waren rebellierende Dienerinnen getreten. »Um uns hat sich noch nie jemand gekümmert«, sagte Sandya zu Sumitra, »immer haben wir uns um andere kümmern müssen. Das möchte ich ja einmal erleben, daß wir einmal, nur einmal, nach Hause kommen und jemand anders hat uns, zur Abwechslung, das Essen gemacht.« Sie dachten beide an die Fernseh-Werbung für die Kakao-Marke und lächelten wehmütig. »Eilt euch, eilt euch«, rief Dadima mit ihrer hohen Zitterstimme, »die Männer warten schon.«

»Sollen sie«, murrte Sumitra.

Seit ihrem »Sündenfall« hatte Sumitra kein Wort mehr an Jayant gerichtet. Sie haßte ihn. Sie mußte zwar hie und da Essen für ihn zubereiten und ihm die gefüllten Teller auftischen, aber um nichts in der Welt hätte sie ihn dabei angesehen. Sie weigerte sich auch, Leela zu besuchen. Obwohl ihr die Tante leid tat, empfand sie für die ganze Verwandtschaft nur noch abgründige Verachtung. Jayants Versuche, sie mit Witzchen aufzulockern, stießen auf eisige Ablehnung. Sumitra sah einfach kalt durch ihn hindurch, als wäre er ein Steinbrocken, der ihr im Weg lag.

Seit Dadimas Ankunft war das Leben noch schwieriger geworden, und da jetzt dauernd auch noch ihre alten Freundinnen zu Besuch kamen, blieb immer weniger Zeit zum Lernen. Und jeder neue Schub Besucher bedeutete auch immer gleich einen neuen Schub *Chapattis*.

»Ich habe überhaupt keine Gelegenheit mehr, mit dir zu sprechen«, sagte Maria eines Sonntags, als sie Sumitra half, den Teig auszurollen. »Ich wünschte, ich könnte dir noch mehr helfen, aber ich weiß nicht wie.«

»Du hilfst mir, wenn du meiner Mammi Englisch beibringst«, entgegnete Sumitra und ließ eine neue Scheibe in das heiße Fett gleiten. »Dadurch verschaffst du mir mindestens eine Stunde Ruhe.«

Maria hatte sich endlich dazu aufgerafft, Mai Unterricht zu geben. Sie hatte keine Lehrerfahrung, nur den Wunsch, Mrs. Patel zu besseren nachbarschaftlichen Beziehungen zu verhelfen. Sie hatten mit einer Illustrierten angefangen, aber sehr schnell stieß Maria nicht nur auf die Schwierigkeiten der Sprache, sondern auch auf den Unterschied zwischen dem Leben, das in Illustrierten dargestellt wird, und dem Leben in Mrs. Patels Familie.

»Die Lehrer scheuten sich nicht, auch heiße Eisen anzufassen«, stand in der Beschreibung einer Schule. Wie soll man jemandem erklären, wie jemand heiße Eisen anfaßt, wenn das Wort Eisen nicht einmal bekannt ist? Jeder Satz erforderte langwierige Erklärungen. Am Anfang waren die Fragen wie einfachste Frage-und-Antwort-Spiele. »Haben Sie das verstanden?« fragte Maria dauernd, so etwa nach der umständlichen Erklärung, daß lange Finger nichts mit langen Fingern, sondern mit Stehlen zu tun haben. »Verstehen Sie, stehlen, etwas wegnehmen, was einem anderen gehört.« Dann lächelte Mai und sagte: »Verstehen, verstehen.« Voller Hoffnung fragte Maria dann: »Was heißt das also, lange Finger machen?« Mai lachte herzlich. »Weiß nicht.« Und Maria lachte dann mit und schlug eine andere Seite auf.

Sie überblätterte die aufregende Lebensgeschichte eines Stars, dessen Abenteuer ihr zu anstößig waren. Die Kosmetikseite schien ergiebiger, aber dann sah sie, daß die Hinweise ihrer Schülerin nicht nützten; die Modelle waren alle hellhäutig und goldblond. Sie versuchte es mit den Modeseiten. »In diesem Sommer werden die Jungs am Abend noch viel mehr von eurer Haut zu sehen bekommen, liebe Mädchen...« Das wäre für ihre Schülerin nur ein neuerlicher Beweis dafür, daß die englische Gesellschaft zur Hälfte aus halbnackten Frauen besteht, die alle auf einen Mann lauern.

Es war unmöglich, einer empfindsamen, kultivierten

Frau, die so gut wie kein Englisch sprach, verständlich zu machen, daß diese Illustrierten, die ihre Töchter lasen, nur die sensationellsten und geschmacklosesten Höhepunkte einer Welt des Scheins darstellten. Die Zeitschriften entwarfen ein Bild, das nur auf wenige Menschen zutraf. Maria hätte am liebsten gefragt: »Haben Sie denn jemals eine Frau in solchen Kleidern gesehen? Das ist doch nur ein Zerrbild des Lebens.« Aber die Sprachbarriere machte die Frage unmöglich. Eben dieser Barriere stand auch Mrs. Patel täglich gegenüber, wenn sie aus dem Haus ging und plötzlich von Leuten umgeben war, die in einer ihr unverständlichen Sprache miteinander schwatzten. Selbst wenn sie einmal die Bedeutung eines Wortes erfaßt hatte, war da immer noch die Schwierigkeit, daß dieses Wort in der Umgangssprache oder in einem bestimmten Zusammenhang etwas ganz anderes bedeuten konnte. Diese Einsicht spornte Maria an, ihrer Freundin möglichst schnell die Tür zur Verständigung aufzustoßen.

Jetzt waren sie bei den Leserbriefen. Maria überflog die Spalten.

»Ich bin achtundzwanzig, unverheiratet, aber keine Jungfrau mehr...«

»Im Laufe der Zeit habe ich alle meine Freundinnen verloren, weil mein Mann mit ihnen anzubändeln versuchte...«

»Ich habe immer heiraten wollen, aber zuerst ging es mir um beruflichen Aufstieg. Jetzt bin ich zweiundvierzig und habe Angst vor Einsamkeit und Alter...«

›Vielleicht haben Sumitras Eltern recht, ihre Tochter davor zu bewahren, einmal so einen Leserbrief schreiben zu müssen‹, dachte Maria. Was die wohl von ihr selber hielten, einer geschiedenen Frau mit vierjähriger Tochter, die bis vor vor kurzem in Armut gelebt hatte, von ihren Eltern verleugnet, Mädchen für alles in einem Krankenhaus und bis zu ihrer zweiten Heirat immer unter dem Druck, nicht mit dem Geld auszukommen. Sie wußte, daß Mai sie gern hatte, sie sagte oft, Maria muntere sie auf, obwohl sie Maria kaum verstehen konnte. Aber die Leserbriefseite spiegelte gewissermaßen die Welt und die Gesellschaft Marias wider, und die waren Mrs. Patel beide so zuwider, wie Sumitra eine arrangierte Hochzeit zuwider war. Maria klappte die Zeitschrift achselzuckend zu. »Nicht gut. Versuchen wir das Buch, das ich Ihnen gekauft habe.« Das Buch schien anfangs ganz brauchbar. Es fing mit einfachen Sätzen an. »Wie geht es Ihnen?« – »Danke, sehr gut.« Aber das kannte Mai schon. Lektion 2 behandelte den Besuch im Fußballstadion und auf der Eisbahn. In den Lektionen 3 und 4 ging es um Werkzeuge und Baustellen. Zusammen lernten sie etwas über Meißel und Stützbalken, Bagger und Kräne.

»Ich glaube, wenn wir uns nur unterhalten, begreifen Sie am besten«, sagte Maria seufzend. Das Buch war nutzlos. Mai ging nicht zum Eislaufen, war am Fußball nicht interessiert und hatte nicht die Absicht, Häuser zu bauen. »Greifen? Greifen ... das Buch?« Wieder war eine Erklärung fällig.

Jetzt machten sie während der Stunde einfach Konversation. Maria stellte Fragen, auf die Mai nur ja oder nein zu sagen brauchte, wobei sich aber ihr Sprachverständnis verbesserte. Maria hielt sich nicht für eine besonders fähige Lehrerin. Sie konnte auch kein passendes Buch für jemanden finden, der gerade bis in die Anfangsgründe der Sprache vorgedrungen war, aber eigentlich am gründlichen Studium dieser Sprache kein Interesse hatte.

Marias Sympathie für Mai vertiefte sich. Sie hatte durchaus Verständnis für Sumitras schwierige Lage, sah aber auch die Probleme der Mutter. Mai war eine Gefangene ihrer Vergangenheit, ihrer von Traditionen geprägten Gedankenraster, während Sumitra neue Denkmodelle vorführte, die es vorher für Mai nicht gegeben hatte. Aber man konnte Mai ja nicht einfach sagen: »Also du mußt das jetzt akzeptieren, du lebst jetzt in einem anderen Land und einer anderen Gesellschaft.« Mais Vorstellung von dieser Gesellschaft entsprach all dem, was auf den Leserbriefseiten stand. Aber diese Seiten wie auch die Seiten mit den Filmstars stellten nur einen winzigen Bruchteil des wirklichen Lebens in England dar.

Wenn Maria ihr das nur einmal klarmachen könnte, wenn sie nur einmal die Worte fände, die Mai verstehen würde.

16

»Tut mir sehr leid, daß Sie die Schule verlassen wollen«, sagte Mr. Jones. Eine Fliege, die aus dem muffigen Zimmer nach draußen strebte, brummte gegen das Fenster, umflog dann ein paarmal die große Lampe und setzte erneut zur Flucht an. Sumitras Gehirn nahm die Worte des Direktors unbeteiligt auf, während sie mit aller Willenskraft die dumme Fliege durch ein offenes Fenster hindurchsteuern wollte. »Gute Schülerin ... Anfangsschwierigkeiten glänzend überwunden ... gute Zukunftsaussichten ...«

Und dann flog die Fliege hinaus in die Mittagshitze. »Halten Sie uns auf dem laufenden, wie es Ihnen ergeht«, sagte Mr. Jones, als er ihr die Hand schüttelte, aber sein Blick schweifte schon ab, erfaßte schon den nächsten Schüler, der eintrat. Während sie hinausging, hörte sie den Direktor zu Robert sagen: »Tut mir leid, daß Sie die Schule verlassen wollen ...«

Die Schule war fast menschenleer. Da waren nur noch die Schüler, die von der Schule abgehen wollten und sich nun vorschriftsmäßig vom Direktor verabschiedeten. Nur der Hausmeister pfiff vor sich hin, sonst war nichts zu hören. »Sechs Jahre meines Lebens habe ich hier in Northfields verbracht«, dachte sie. »Ich habe mich sehr verändert. Aber die Schule ist immer noch, wie sie war.«

Die Julisonne brannte auf den Asphalt. Der Bus, der endlich träge heranrollte, war auch leer. In der ungewöhnlichen Hitze blieb offenbar jedermann erschlafft zu Haus; es gab nur wenig Verkehr in den Straßen, und selbst Fußgänger waren kaum zu sehen. Von der Atmosphäre einer Großstadt war nichts zu spüren, es war, als hätte ganz London die großen Ferien ausgerufen.

»Ich bin ein Schulabgänger«, sagte sich Sumitra, als sie im Oberdeck Platz genommen hatte, und wartete darauf, daß die Bedeutung dieses Schrittes nun mit voller Wucht über sie hereinbrechen würde. Aber nichts geschah. Wie wenn man Geburtstag hat und dann merkt, daß es eigentlich nur ein Tag ist wie jeder andere. Abgesehen von der Einsicht, schnellstens einen Dauerjob finden zu müssen, bevor Bap sie zur Arbeit in Jayants Laden schickte, dachte sie an nichts; sie fühlte sich ganz leer. Für ihre Freundinnen und Freunde, Hilary, Lynne, Mary und Robert, war der Schulabgang nur der Auftakt eines Lebens in der Welt der Erwachsenen, in der man nun eigene Entscheidungen von ihnen erwartete, vielleicht noch nicht beruflich, aber jedenfalls, was das Leben zu Hause betraf. Sie würden jetzt etwas mit Freunden unternehmen, ihren Interessen und Liebhabereien nachgehen und anfangen, eine Existenz aufzubauen, beruflich und privat. Trotz aller Einschränkungen war für Sumitra die Schule der Ort, wo sie relativ frei gewesen war. Zum Glück war Jayant so sehr damit beschäftigt, den Besuch von Sri Mahatma Mahavir im Tempel vorzubereiten, daß er keine Zeit hatte, an die Anstellung seiner verkommenen Nichte zu denken. Am Montag darauf sah Sumitra gleich im Schaufenster der Goldspear-Agentur nach. Da hingen in schwarzer Druckschrift viele Stellenangebote aus:

KONZERTDIREKTION SUCHT SEKRETÄRIN, 9–17 Uhr, £ 5000.–

THEATERBÜRO BRAUCHT MÄDCHEN FÜR ALLES, £ 8000.– i. J.

MIT STARS ARBEITEN: ELEGANTE ASSISTENTIN VON THEATERUNTERNEHMER GESUCHT. KEIN MASCHINESCHREIBEN.

Unter dieser Liste interessanter Jobs stand in Lila:

KOMMEN SIE HEREIN. REGISTRIERUNG GEBÜHRENFREI.

Sumitra sah sich ihr Spiegelbild in der Fensterscheibe an. Sie hatte einen Haarknoten nach Art seriöser Sekretärinnen und trug ein dunkles Kostüm. »Ich seh' ganz gut aus«, sagte sie sich und sah dann, daß das Mädchen drinnen sie neugierig anstarrte. Sie machte die schwere Tür auf und trat ein. »Kann ich Ihnen helfen?« fragte das Mädchen, ein Bewerbungsformular schon in ausgestreckter Hand. »Ich suche eine Dauerstellung. Ich habe gesehen, da sucht eine Konzertdirektion eine Sekretärin?« Wer weiß, vielleicht käme sie sogar nach New York?

Die Angestellte war ganz niedergeschmettert. »Das tut mir aber leid, der Job ist leider gerade weg, ich hab' noch nicht mal Zeit gehabt, den Zettel rauszunehmen. Aber füllen Sie erst mal den Bogen hier aus.« Sie schwenkte das Papier in ihrer Hand einladend hin und her. »Wir finden schon das Richtige für Sie.« Ihr Lächeln war liebenswürdig, sogar herzlich, als wäre es ihr höchstes Ziel, Sumitra zu einem passenden Job zu verhelfen. Sumitra lächelte zurück, aber dann fiel ihr wieder ein, was Maria gesagt hatte: »Laß dich nicht von Agenturen reinlegen. Bis zu einem gewissen Grad sind sie vielleicht hilfreich, aber im Grunde sind sie nur an ihrer Provision interessiert.«

»Ich möchte noch nichts ausfüllen, wenn Sie vielleicht keine Stellen haben.«

»Füllen Sie erst das Formular aus, und dann seh' ich's mir mal an«, versprach die junge Frau.

»Haben Sie denn überhaupt Dauerstellungen?« beharrte Sumitra. »Mir ist es wirklich ernst damit.«

»Mein liebes Fräulein«, sagte die Angestellte, jetzt mit eisiger Stimme. »Ich kann Ihnen nicht helfen, wenn Sie nicht das Formular ausfüllen. Das ist Vorschrift, verstehen Sie?« Sumitra gab nach, füllte das Formular aus und reichte es ihr.

Die Frau überflog die Eintragungen. »Alter 17, 4 Mittelstufenfächer, Weiterarbeit in 2 Oberstufenfächern an der Abendschule, Maschine 40, Steno 85, nicht sehr toll, aber das lernen Sie sicher schnell. Klappenschrank?«

»Klappenschrank?« fragte Sumitra.

»Ja, Telefongespräche vermitteln.«

»Ja, natürlich«, sagte Sumitra, »das habe ich jahrelang bei meinem Samstags-Job gemacht.«

»Also, Süße, im Moment haben wir keine Dauerstellungen, tut mir leid. Aber wenn Sie an Zeitarbeit interessiert wären ...«

»Ja, gut.« Alles war besser, als bei Dadima zu Hause zu hocken.

Die Angestellte blätterte in ihren Karteikarten. »Hier hab' ich was, das ist Ihnen auf den Leib geschrieben«, frohlockte sie. »Da ist eine Stelle bei Remus Ribbons in Highgate, sie brauchen eine für vier Monate, solange die Sekretärin in Urlaub ist. Ist doch toll, was?« Sie schien vor Freude so überwältigt, daß man meinen konnte, Sumitra hätte ihr einen Job besorgt. Sumitra lächelte höflich. Sie wußte nicht, was sie sagen sollte, wußte nicht, ob die Stelle ihr überhaupt gefallen würde und um welche Arbeiten es da ging.

Die Angestellte wählte schon die Nummer. »Hallo, Remus Ribbons? Oh, Mr. Remus, haben Sie schon eine Aushilfe für Ihre Sekretärin? Hier spricht die Goldspear-Agentur. Nein? Wunderbar. Ich habe nämlich eine reizende junge Dame für Sie, eine Miß Sumitra Patel. Nein, nein, keine Schwarze. Ein ausgesprochen hübsches Pakistani-Mädchen.« Sie warf einen um Entschuldigung bittenden Blick geheimen Einverständnisses auf Sumitra, die unglücklich auf ihrem Stuhl hin und her rutschte. »Tippt fabelhaft, auch nach Band, Steno erstklassig, kann fernschreiben und vermitteln. Soll ich sie mal rüberschicken?«

»Aber ich schreib' doch gar nicht nach Band, und mein Steno ...«, versuchte Sumitra zu unterbrechen, aber die Frau winkte gebieterisch ab und runzelte die Stirn. »Ja,

das paßt gut. In einer halben Stunde ist sie bei Ihnen.«
Schon beim Weitersprechen schrieb sie die Einführungs-
karte aus. »Ja, Gebühren wie besprochen, zweimal Gehalt
plus erster Wochenlohn.«

Sie legte den Hörer zurück und strahlte ihre Neuerwer-
bung an. Sumitra dachte an das Foto eines weisen Brahma-
nen über dem Bett ihres Vaters, eines heiligen Mannes, der
genauso glückselig dreinschaute. »Die paar Notlügen
waren nötig«, sagte die Frau lächelnd. »Aber wenn Sie erst
einmal da sind, läuft alles. Sie werden bestimmt mit Mr.
Remus gut auskommen und umgekehrt genauso. Ein ganz
lieber Mensch ist das. Ehrlich gesagt, manchmal ist das
nicht so einfach, Stellen zu finden für jemanden, na, Sie
wissen schon, nicht wahr?« Sie schrieb einen Arbeitszettel
aus und gab ihn Sumitra, lächelnd und voller Sympathie.
»Wir zahlen 70 Pence die Stunde. Auszahlung jeden
Freitag abend. Sie können sich auch samstags morgens
Ihren Scheck hier abholen, Sie wohnen ja um die Ecke.
Wenn es Schwierigkeiten gibt, sofort anrufen. Die Gold-
spear-Agentur läßt ihre Mädchen nicht im Stich. Klar?
Viel Glück also!«

Remus Ribbons stellte sich als eine Bandwaren-Groß-
handlung in einer umgebauten Wohnung in Shepherd's
Hill heraus. Ein runzeliges Männchen machte die Tür auf
und stellte sich als Mr. Remus vor. »Kommen Sie rein, los,
kommen Sie rein!« bellte er. »Ich bin Mr. Remus. Das ist
Ihr Büro. Sie schreiben Briefe und nehmen Anrufe entge-
gen...« Er hatte einen sandfarbenen, leicht geschwunge-
nen Schnurrbart, der ihm das Aussehen eines Fuchses
verlieh. Remus, der Fuchs, dachte sie und unterdrückte
ein Lächeln. Sie hängte ihr Jackett über einen Stuhl und
schaute sich in dem kleinen Büro um. Es gab keinen
Klappenschrank und keinen Fernschreiber; die Agentur-
dame hätte nicht zu lügen brauchen. Die Schreibmaschine
stammte noch aus der Zeit vor dem Krieg. Sumitra spannte
ein Stück Papier ein und schrieb probeweise *England*

erwartet, daß jedermann seine Pflicht tue. Mr. Remus kam mit einem Packen hingekritzelter Briefe hereingelaufen und eilte wieder hinaus. Sumitra machte sich auf die Suche nach Briefpapier, Durchschlagpapier, Kohlepapier und Radiergummi und fing an zu tippen.

Am Dienstag hatte sie fast alle Briefe aufgearbeitet. Das Telefon hatte nur zweimal geklingelt. »Die Geschäfte gehen jetzt schlecht«, bemerkte Mr. Remus kurz. »Sommer ist immer Flaute in der Textilbranche.« Er war nicht sehr mitteilsam. Sumitra reimte sich zusammen, daß er Borten und Bänder importierte und damit die Geschäfte im großen Umkreis von London belieferte. »Sie haben noch diese Woche Zeit, sich einzuarbeiten, dann fahre ich zur Messe nach Rumänien. Hier.« Er zog einen zerknüllten Prospekt aus der Tasche:

BANDWAREN-MESSE
DER VOLKSREPUBLIK RUMÄNIEN
BUKAREST

»Ich bin dann zwei Wochen weg, wir besuchen Fabriken und Musterzeichner, das heißt, Sie sind hier der Chef, bis ich zurückkomme. Das schaffen Sie schon.« Wie von der Länge seiner Ansprache überwältigt, drehte er sich um und stürzte hinaus.

Bevor sie am Freitagabend das Büro verließ, vertraute ihr Mr. Remus die Schlüssel an. »Also nicht vergessen, Sie führen jetzt das Geschäft. Erledigen Sie selber alles, was Sie können. Wenn was zu schwierig wird, soll's warten, bis ich zurück bin. Auf Wiedersehen.«

»Also wirklich«, sagte sie zu Maria, als sie am nächsten Tag im Dauerlauf um den Park trabten, »typischer Fall von ruhmreichem Aufstieg. Erst bin ich ein Schulabgänger, und schwupps, schon leite ich das Bandwaren-Zentrum mit der linken Hand.«

»Ich habe immer gesagt, du wirst's weit bringen«, keuchte Maria, »aber ich bin vor dir am Ziel.« In plötzlichem Endspurt überholte sie Sumitra, ließ sich dann aber sofort aufs Gras sinken. Sumitra warf sich neben sie. Maria rang nach Luft, ihre Brust wogte heftig. »Ich muß mit dem Laufen bald aufhören. Ich bekomme wieder ein Baby.«

»Maria, das ist ja fabelhaft. Gratuliere. Da wird sich Martin aber freuen.«

»Ja, der ist ganz weg. Und Sally ist auch ganz aufgeregt. Ich hätte nie gedacht, daß sie noch ein Brüderchen oder Schwesterchen bekommt...«

Sumitra pflückte Grashalme ab. »Das läuft alles so schön bei dir, Maria. Denk nicht, daß ich neidisch bin. Es fällt mir nur auf, wie dein Leben früher einmal so verworren und durcheinander war wie meins, und jetzt bist du versorgt und glücklich.«

»Sei bloß still«, bat Maria, »ich komme mir ja vor wie eine alte Frau. Aber ich muß zugeben, ich hätte nie geglaubt, daß ich mich noch einmal so glücklich fühlen würde. So war's ja nicht immer«, fügte sie hinzu und drückte Sumitra tröstend die Hand.

»Jetzt reden sie wieder davon, mich wegzuschicken«, vertraute Sumitra ihrer Freundin an. »Nach der Pub-Affäre wollten sie mich ja schon nach Indien schicken, drohten, mich einzusperren und ins Flugzeug zu setzen. Man kann es kaum glauben, aber so sind sie. Das wäre das Ende gewesen. Jetzt wollen sie mich zu einer Tante in Birmingham schicken. Sie hat ein Zimmer frei, und ich soll da aufs College gehen. Ist mir jetzt ganz gleich, was mit mir passiert. Wenn ich tue, was ich tun will, entehre ich ihren Namen – und nur das interessiert sie: ihr Name. Nicht ich. Sie sagen, die anderen bekommen keine Männer, wenn ich den Namen beflecke. Also muß ich tun, was sie wollen, oder von zu Hause weggehen. Und ich will weder das eine noch das andere.«

Es war drückend heiß. Die Sonne schien warm auf ihre Arme und Beine. Die Hitze erinnerte Maria an den Tag, an dem sie ihren ersten Mann verlassen hatte. »Ich habe dir doch schon erzählt, wie ich damals von Dave weggegan-

155

gen bin, nicht wahr? Es klingt wahrscheinlich sehr romantisch, durch Weingärten zu laufen, um das Flugzeug noch zu erwischen. Aber es war eine schwere Entscheidung, und ich habe gewußt, wenn ich in England bin, hilft mir kein Mensch mehr. Ich wußte nicht, wohin, wußte nicht, was ich machen sollte, und hatte ein winziges Baby dabei, für das ich sorgen mußte. Ich spreche sonst nicht gern von dieser Zeit, aber ich kann dir sagen, es war wirklich sehr schlimm, die schlimmsten drei Jahre meines Lebens. Jetzt habe ich sie hinter mir, viele Menschen müssen ja schwere Zeiten überstehen. Und jetzt habe ich einen prima Mann, eine hübsche Tochter, und ich bekomme noch ein Baby. Ich habe Freunde, und Sally ist glücklich. Daß ich das noch einmal erfahre, wie das ist, so richtig zufrieden zu sein! Aber du wirst es auch einmal erfahren, so oder so.«

Ein Flugzeug flog über sie hinweg und trug unbekannte Menschen zu unbekannten Zielen. »Ich glaube, es ist gar nicht das Problem, ob jemand Inder, Afrikaner oder Pakistani ist oder Grieche oder Jude. Das Problem ist in dir selbst, in deinem persönlichen Leben. Ich bin Engländerin, aus einer englischen Familie, aber ihrer Ansicht nach muß die Frau dem Manne folgen und gehorchen, und sie konnten nicht verstehen, daß ich das nicht mitmachte. Sie wollen auch gar nicht wissen, was das damals für ein Leben für mich war, es interessiert sie nicht; für sie wird Dave immer das Unschuldslamm bleiben und ich das Luder. Manche Familien sind wie Ketten, die einen niederhalten, damit sie im gleichen törichten Trott gedankenlos weitermarschieren können, generationenlang. Aber einige wenige, und du gehörst dazu, müssen ihren eigenen Weg gehen und ihre eigenen Gedanken denken.«

Sumitra kaute nachdenklich auf einem Grashalm herum. In der Schule hatte sie Kinder verschiedener Gruppen getroffen, Juden, Griechen, Türken, Araber, Chinesen, Westinder, Iren, die alle fröhlich miteinander spielten und zusammen eine ideale Schulgemeinschaft darstellten. Aber dann gingen sie getrennt heim und paßten sich den

Gewohnheiten ihrer Eltern an. Sie traten in die Jugend-
clubs ihrer Volksgruppen ein, um einen jüdischen, griechischen, türkischen oder irischen Partner heiraten zu
können und jüdische, griechische, türkische oder irische
Kinder in die Welt zu setzen. Wozu das alles? Warum
konnten sie sich nicht einfach mit denen zusammentun,
die sie gern hatten, und ihre Kinder als Menschenkinder in
einem Lande namens England aufziehen?

»Meine Großmutter hat Ela und Bimla verboten, mit
weißen Kindern zu spielen«, sagte sie. »Ich war richtig
wütend. Sie haben doch gar keine Chance. Wie können sie
lernen, ihre eigenen Gedanken zu denken?«

»Sumitra, sie haben alle die Chancen, wie du sie gehabt
hast. Sieh mal, du siehst doch auch beide Seiten. Es sind
nicht nur deine Eltern und Jayant, die sie prägen. Sandya
und du und Lynne und Martin haben ja auch einen Einfluß
auf sie. Sie werden sich schon selber entscheiden, wenn sie
älter werden.«

Wieder dröhnte ein Flugzeug über ihnen. »Ich will
immer noch Stewardeß werden«, sagte Sumitra träumerisch, als sie es in der Ferne verschwinden sah. »Aber mein
Vater will nichts davon hören.«

Ein paar Jungen spielten jetzt vor ihnen Fußball. Ein
Schwarm Vögel flog protestierend von ihren Nestern in
den Bäumen auf. Ela und Sally kamen Hand in Hand
angerannt und warfen sich kreischend und lachend auf die
beiden Gestalten im Gras.

»Mammi, ich habe Hunger«, schrie Sally.

»Dann wollen wir mal nach Sandya sehen und Eis
kaufen gehen«, schlug Maria vor.

Bevor der Sommer zu Ende ging, gab es neue Rassenunru-
hen. Eine Bande junger Engländer hatte junge Asiaten
überfallen. Die asiatische Gemeinde in Southall plante,
einen Sicherheitsausschuß zusammenzustellen. Das wurde von denen kritisiert, die allein die Polizei für geeignet
hielten, bei solchen Zwischenfällen einzugreifen. Jeden

Abend wurde beim Essen darüber gesprochen. Bap zufolge tat die Polizei zu wenig. Mai war verängstigt und wollte nicht mehr allein auf die Straße gehen. Ela und Bimla standen abends an der Bus-Haltestelle eng beisammen. Sandya und Sumitra waren sehr beunruhigt.

Sumitra hatte niemandem von ihrem Traum erzählt: Sie wartete, abends nach der Arbeit, auf den Bus, als die Bande sich auf sie stürzte. »Paki, Paki!« kreischten sie; zwei hielten sie fest, und ein dritter schlug ihr immer wieder ins Gesicht, bis sie ihre Zähne ausspuckte und das Blut ihr die Augen verklebte. Sie traten sie in die Seite, bis die Rippen brachen. Die braven, gottesfürchtigen Bürger von Highgate stiegen über sie hinweg; endlich blieb einer stehen und hob sie auf. Das Gesicht des Guten Samariters war schwarz. Kurz bevor sie starb, erkannte sie ihn wieder: Yusuf, den Haus-Boy.

Sumitra und Sandya schalteten die Anruf-Sendungen ein, bei denen die Zuschauer sich telefonisch zu Wort melden konnten. Die Rassenfrage wurde mehrere Monate lang fast täglich behandelt. Es gab bestimmte Anrufer-Gruppen. Da war der Typ »Viele-meiner-besten-Freunde«. Das lief dann so: »Viele meiner besten Freunde sind Schwarze, glauben Sie bloß nicht, daß ich Vorurteile hätte. Aber jetzt habe ich gesehen, wie eine Frau aus Westindien eine weiße Frau an der Haltestelle einfach weggestoßen hat.« Dann die Legion »Sie-nehmen-uns-die-Arbeit-weg«: »Die kommen einfach her, Schwarze, Braune, Gelbe, nehmen uns Jobs und Häuser weg und verstänkern die Straßen mit ihrem Küchengestank.« Aber es gab auch die Partei »Leben-und-leben-lassen«: »Einwanderer machen mir nichts aus, Peter. Die machen das Leben doch farbiger.« Hie und da meldete sich auch ein Einwanderer, der über Benachteiligung klagte, oder sogar einer – wenn auch ganz selten –, der keinerlei Feindseligkeit feststellen konnte.

Die Ansager waren einheitlicher. Sumitra stellte fest, daß ein Anrufer von der Nationalen Front entweder sofort abgehängt wurde oder gerade drei Sekunden bekam, um seine Meinung zu äußern. Mit Hilfe von Sandya, die Zeichen gab, kontrollierte Sumitra die Zeit nach dem Sekundenzeiger. Die Ansager waren Vertreter der liberalen Weißen; sie begrüßten die unbegrenzte Einwanderung und beschuldigten andersdenkende Anrufer der Voreingenommenheit.

»Die wissen offenbar noch gar nicht, daß es in diesem Land ein Rassenproblem gibt«, meinte Sumitra. »Die glauben wahrscheinlich, daß alles wunderbar ist und jeder seinen Nächsten liebt.«

Sandya seufzte. »Hm. Ich frage mich, wo die wohnen, diese Ansager, und wo ihre Kinder in die Schule gehen. Ob die sich wohl je mit andern unterhalten, ich meine, wirklich zuhören, wenn andere was sagen?«

»Manchmal«, vertraute Sumitra ihr an, »glaube ich, die existieren gar nicht richtig. Vielleicht bestehen sie nur aus Maul, Roboter, ohne Ohren zu hören, Ungeheuer, die nur ihr Maul bewegen.«

Da war etwas dran. Die Ansager zischten und fauchten jeden an, der sich nicht in ihrem Sinne äußerte; sie unterbrachen einfach Gespräche und kommentierten sie spöttisch aus ihrer schalldichten Sicherheit heraus. Die Freiheit der Rede sollte für beide Seiten gelten, dachte Sumitra. Es ist doch sehr gefährlich, Leuten mit begründeten Beschwerden den Zugang zu dem für sie einzigen Sprachrohr zu versperren, durch das sie ihre Meinung einmal öffentlich kundtun können.

Sumitra hörte den Unterhaltungen teils amüsiert, teils entsetzt zu. »Meinst du, es sollte unbeschränkte Einwanderung geben?« fragte Sandya.

»Nein«, entgegnete Sumitra. »Großbritannien ist ein kleines Land. Es ist schon schwer genug, uns hier zu integrieren; sie können einfach nicht pausenlos neue Scharen ins Land lassen. Wenn wir uns einzeln besser anpaßten, wär's wahrscheinlich leichter, als Gruppe werden wir sowieso im Grunde nicht akzeptiert. Wir kennen ja Mai und ihre Altersgruppe, der Himmel weiß, die wollen gar nicht akzeptiert werden.«

Mai und Bap sprachen immer noch davon, einen Laden zu erwerben. Sie gingen sogar schon am Wochenende herum und schauten sich leerstehende Geschäftsräume an. Keines dieser Projekte wurde zu Ende geführt; entweder war es zu teuer, zu weit weg, zu baufällig, aber durch die Suche bekamen ihre Träume einen Anhauch von Realität.

Das war auch so ein Punkt, über den die Anrufer Klage führten. Aus einer einst tüchtigen, fleißigen Gemeinschaft war eine faule, teilnahmslose Gesellschaft geworden, durch zwei Kriege erschöpft, durch ein Klassensystem belastet und entnervt durch Verantwortung, Geldnöte und ein Übermaß an Regen. Die »Englische Krankheit«, zurückzuführen auf einen schweren Vitamin-D-Mangel, hatte offenbar die Kräfte der Nation aufgezehrt.

Nun aber war eine Gruppe energischer Leute mit schneller Auffassungsgabe gekommen, willens, auch dann zu arbeiten, wenn die Eingeborenen keine Lust dazu hatten, bereit, Läden zu kaufen, die die Eingeborenen nicht besitzen wollten, und einen Service zu bieten, den die Eingeborenen nicht bieten konnten. Da riefen sie also dann im Studio an, diese Eingeborenen, und jammerten, daß wieder ein Laden an der Ecke, wieder eine Poststelle besetzt worden sei. Doch als die Herbstnächte einzogen, kamen weniger Anrufe und schließlich gar keine mehr. Oberflächlich gesehen, lief alles weiter wie bisher.

Mr. Remus war aus Rumänien zurückgekehrt und brachte Sumitra einige handgewebte Musterbänder mit volkstümlichen Motiven mit. Das Büro war nicht abgebrannt, kein Unheil hereingebrochen, und sie verbrachte noch einige ruhige, glückliche Tage dort. An ihrem letzten Tag überreichte Mr. Remus ihr feierlich eine große Bortenrolle. Sumitra schenkte sie Mai, damit sie ihren neuen Sari schön säumen konnte.

Sumitra ließ sich sowohl bei der Job-Zentrale wie in der Goldspear-Agentur vormerken. In ihrer letzten Woche bei Remus Ribbons hatte die Job-Zentrale sie auf eine interessante Stelle aufmerksam gemacht: in einer Detektei. Sumitra war einverstanden, sich dort vorzustellen. Sie wartete ab, bis alle ihre Schwestern zur Schule gegangen waren; dann nahm sie ein Bad, puderte sich mit dem Puder, den ihr Hilary zu Weihnachten geschenkt hatte, und zog ihr schwarzes Kostüm, eine frisch gebügelte weiße Bluse und hochhackige Schuhe an. Sie bürstete sich das Haar zurück und befestigte es mit einem Haarband. Im Spiegel sah sie ein hochgewachsenes, schlankes, nach der letzten Mode gekleidetes Mädchen mit einem eindrucksvollen Gesicht und schönen Augen. Durch ein Spalier bewundernder Pfiffe schritt sie zum Bus.

Eine Detektei, das klang interessant. Spionagefälle, Rauschgiftaffären und Schiebungen großen Stils kamen ihr in den Sinn. Sie stellte sich Mr. Farley als Mischung zwischen kühnem Abenteurer und Herzensbrecher vor und war etwas enttäuscht, als ihr ein dicklicher Mann mit Stirnglatze die Hand schüttelte und sie zu einem Sessel führte.

»Ich will Ihnen zunächst etwas über die Arbeit erzählen«, sagte Mr. Farley. »Ich nehme an, Sie halten alles für furchtbar spannend, aber im Grunde ist es immer dieselbe Kleinarbeit: Vermißtenanzeigen, Mitbeklagte bei Ehescheidungen, kleine Gaunereien. Manchmal gibt es auch etwas, was aus dem Rahmen fällt, aber höchstens zweimal im Jahr.«

Die Tür ging auf, und eine junge Frau brachte zwei Tassen Kaffee herein. »Das ist Pamela. Sie fährt jetzt bald nach Amerika.« Pamela lächelte zu Sumitra herüber und ging wieder hinaus. Man hörte ihre Maschine im Vorzimmer klappern.

»Eine Sache stört mich noch etwas.« Er trank einen Schluck Kaffee. »Sie haben in vier Mittelstufenfächern bestanden und arbeiten jetzt in der Abendschule für zwei Oberstufenfächer. Vielleicht ist Ihre Qualifikation zu hoch für diese Arbeit. Eigentlich müssen Sie nur gut tippen und kleine Büroarbeiten erledigen können. Es ist möglich, daß Sie das bald langweilt. Ich möchte aber Sekretärinnen, die bleiben. Pamela war jetzt seit ihrem Schulabgang fünf Jahre bei mir. Als Privatdetektiv habe ich Menschenkenntnis und eine gewisse Intuition. Sie wollen doch eigentlich gar nicht Sekretärin sein, oder? Sie würden doch sowieso nicht länger bleiben, nicht wahr?«

Sumitra seufzte. In den letzten Jahren hatten die Lehrer auf sie eingeredet, sie müsse sich anstrengen, lernen, um die Prüfungen zu bestehen, sonst bekomme sie keine Anstellung. Nun hatte sie gearbeitet und neben all ihren anderen Pflichten auch noch weiterstudiert, und jetzt bekam sie zu hören, sie sei vielleicht zu gut für den Job. »Ich weiß nicht recht, was ich sagen soll«, murmelte sie und sah starr aus dem Fenster auf die Straße.

»Was würden Sie denn am liebsten tun?« fragte Mr. Farley. Sumitra beschloß, ihm alles zu sagen. Es kam nicht mehr darauf an, denn er würde sie ja sowieso nicht anstellen. »Ich möchte am liebsten Stewardeß werden«, sagte sie, »aber ich kann mich erst mit einundzwanzig zu einem Lehrgang anmelden.«

»Ich bin froh, daß Sie die Wahrheit gesagt haben«, erwiderte er. »Sie verstehen meine Bedenken sicher. Im Hotelfach oder in der Touristikbranche, wo Sie schon Erfahrungen für später sammeln könnten, wären Sie bestimmt besser untergebracht. Ich mache Ihnen einen Vorschlag. Sie arbeiten hier so lange, bis ich eine Nachfolgerin für Pamela gefunden habe oder bis Sie selbst die Anstellung finden, die Ihnen zusagt. Sie können sich auch einmal freimachen und in Ihrer Arbeitszeit umsehen. Während dieser Zeit zahle ich Ihnen ein Überbrückungs-gehalt.« Er erwähnte £ 60 plus Essensmarken. Das war doppelt soviel wie der Lohn von Goldspear. Sumitra war hocherfreut. »Können Sie am Montag anfangen?«

Sie verließ das Büro in Hochstimmung. Sie hatte einen Job ab Montag, und heute war *Guy Fawkes Day**, der Jahrestag der *Pulververschwörung* mit Feuerwerk am Abend. Am Spätnachmittag wollten Maria und Martin kommen, um ein großes Feuer zu machen. »Ich habe einen Job«, teilte sie zu Hause Sandya aufgeregt mit.

»Wunderbar«, sagte Sandya und lächelte. Es kam nicht mehr oft vor, daß Sumitra so glücklich war.

Martin kam und fing gleich an, Reiser und Bruchholz im Garten für das Feuer aufzuschichten. Bap opferte einen zerbrochenen Stuhl. Die Kinder spielten in der Kälte und schrien vor Begeisterung, als die Flammen aufzüngelten und höher und höher loderten. Bap und Mai kamen in den Garten, den Widerschein des Feuers in den Augen. Der Rauch ihres Scheiterhaufens stieg auf und vermengte sich mit dem Rauch aller anderen Feuer in der Nachbarschaft.

Bap schaute sich im Flackerlicht die mitgebrachten Feuerwerkskörper an. Er hatte fast vergessen, wie hinreißend so eine große Vorstellung war. Er drehte die einzelnen Stücke in der Hand und murmelte die Namen »Goldregen«, »Blaue Bombe«, »Wasserfall«, »Goldwirbel«, »Silberbukett«. Die alte Lust packte ihn wieder. Immerhin, es gab wenigstens Feuerwerk in diesem fremden kalten Land. Sally kroch neben ihn und legte ihre Hand in die seine. Das krachende Feuer und das unerwartete Zischen und Fauchen aus den Nachbargärten hatte sie etwas eingeschüchtert.

Bap lächelte auf sie herab und gab ihr eine Wunderkerze. Er lachte über ihr erstauntes Gesicht, als die silbernen Funken in den Himmel sprühten. »Mir auch eine, Bap, bitte, mir auch«, bettelten Ela und Bimla. Bald standen sie alle mit Wunderkerzen da, während Bap die Raketen abschoß. Bei jedem Knall jubelten die Kinder und klatschten.

* G. F. wollte am 5. 11. 1605 das Parlament mit Jakob I. in die Luft sprengen (Anm. d. Übers.).

Maria legte Kartoffeln ins Feuer, spießte sie dann mit einer hölzernen Gabel auf und bot sie ringsherum an. Martin holte die Kastanien aus der Glut, und Mai brachte Becher mit Kaffee in den Garten. Sie aßen und tranken, erschauerten in der kalten Luft, während es orange und golden am Himmel wetterleuchtete. Sumitra schaute auf ihre Hand und erinnerte sich an Leelas Hochzeit, wo ein glühendes Stück vom Feuerwerk sie verbrannt hatte. Die Narbe war noch sichtbar in der braunen, weichen Haut.

17

Es dauerte einige Wochen, bevor Sumitra auf den Fall Varsha Nahri stieß. Sie räumte den Aktenschrank auf, wo auch die Akten der Vermißten abgelegt waren. Unter den vielen anderen englischen Namen fiel ihr der Name natürlich sofort auf. Statt nun in der Mittagspause einen Bummel zu machen oder sich mit einer Freundin zu einer Tasse Kaffee zu verabreden, setzte sie sich ins Büro und fing an zu lesen.

Die Korrespondenz in dem Hefter betraf ein indisches Mädchen, das von zu Hause weggegangen war. Die Eltern hatten die Detektei mit Nachforschungen beauftragt. Mr. Farley war unter einer Bedingung einverstanden gewesen: Sollte er sie ausfindig machen, würde er ihre Adresse nicht preisgeben. Er würde nachprüfen, ob sie in sicheren Umständen lebte, und sie auffordern, mit ihren Eltern in Verbindung zu treten – mehr nicht.

Hinten in dem Akt waren Zeitungsausschnitte von einem Ausschnittdienst; es ging jedesmal um Selbstmord. Es waren alles Namen von asiatischen Mädchen, die sich das Leben genommen hatten. Der amtliche Leichenbeschauer hatte in einem Bericht geschrieben: »Hoffentlich muß ich nie mehr über solch ein bemitleidenswertes Mädchen berichten, das als Leiche im Fluß gefunden wird.«

Sumitra las den Fall dieser unbekannten Fremden, der ihr eigenes Dilemma widerspiegelte. Varsha, einundzwanzig Jahre alt, war schließlich in einem möblierten Zimmer in Ealing aufgefunden worden. Mr. Farley hatte mit ihr gesprochen. Varsha sagte, sie habe weggehen müssen, ihre Eltern bestünden darauf, daß sie einen Buchhalter aus ihrem Bekanntenkreis heirate, was sie aber ablehne. Sie studierte an der London University und wollte einen ordentlichen Studienabschluß machen und sich erst um ihre berufliche Karriere kümmern, bevor sie überhaupt ans Heiraten dächte.

Aber sie hatte sich einverstanden erklärt, ihren Eltern regelmäßig zu schreiben, sie auch gelegentlich anzurufen – nicht jedoch, sie zu sehen. Denn die Eltern, erklärte sie, würden sie unter Druck setzen, damit sie nach Hause zurückkäme, wo sie von neuem den dauernden Forderungen ausgesetzt wäre, sich in ein Leben einzufügen, das sie nicht gewillt war zu führen. Varsha sagte, man habe sie geschlagen, in ihr Zimmer gesperrt und gedroht, sie nach Indien zu schicken, wenn sie so weitermachen sollte.

Sumitra zündete sich eine Zigarette an. Ihre Hand zitterte. Sie hatte schon von indischen Mädchen gehört, die von zu Hause weggelaufen waren, aber getroffen hatte sie noch keines. Über diese Mädchen sprachen die anderen im gleichen Alter voller Neid, während die Generation ihrer Eltern sie nur mit gedämpfter Stimme und voller Abscheu und Scham erwähnte. Alle ihre indischen Freundinnen sprachen davon, das Elternhaus zu verlassen. Das war so etwas wie der Wunsch ihrer Eltern, einen Laden zu erwerben, oder die Sehnsucht des Nachbarn nach einem Häuschen am Meer. Es war ein Phantasiegebilde, eine Hoffnung, an der man hängt, ein leerer Traum, der nie in Erfüllung gehen würde, der einen aber dennoch tröstete. Eine ihrer Freundinnen, Sulima, hatte oft davon geredet, auch daß sie jetzt eine Wohnung suche, und tatsächlich hatte sie in den Wohnungsanzeigen der Zeitungen nachgesehen. Aber sie wußten beide, Sulima und Sumitra, daß sie nicht weggehen würde. Es schien, als wäre der Ausdruck des Wunsches schon genug; er steckte Hoffnungen und Bedürfnisse ab. Aber den Wunsch verwirklichen, das hieße, ihrer Mutter das Herz zu brechen, die Familie zu entehren, die Heiratsaussichten ihrer Brüder und Schwestern zu vermindern und den Namen der Familie innerhalb der indischen Gemeinde in Verruf zu bringen. Sumitra hörte ihr zu, hatte die gleichen Wünsche und steckte aus denselben Gründen wieder zurück.

Stirnrunzelnd las sie den Bericht noch einmal. Wenn sie das Haus verließe – und ihr Herz setzte bei dem Gedanken kurz aus – wenn sie tatsächlich wegginge –, wie würde die Familie reagieren? Mai und Bap würden zusammenbrechen, sie hingen so sehr von ihr ab, sie würden niemals ohne sie fertig werden. Andererseits, wenn sie bald heiratete, müßten sie auch allein auskommen. Nein, darum ging es nicht.

Sie dachte an die Belastung für Sandya; sie müßte dann allein mit allem zurechtkommen. Sie schien so dünn und verletzlich, und doch hatte sie sich schon oft als stärker und entschlossener erwiesen als Sumitra. Sandya käme schon zurecht, auch das war kein Problem.

Das eigentliche Problem war Sumitra selbst – ob sie wirklich den Mut aufbrächte, wegzugehen. Sie war dessen nicht so sicher. Es stimmte schon, daß jeden Tag Jungen und Mädchen ihres Alters und jünger in eine eigene Wohnung zogen. Aber unabhängig zu sein mit Erlaubnis und Förderung der Familie, ist eine Sache; sich für immer von einer gewohnten Lebensweise und von Menschen, die man liebt, abzulösen, ist etwas ganz anderes.

Sie mußte mit jemandem sprechen, der neutral, verständnisvoll und mitfühlend war. Sie rief zu Hause an und sagte Mai, sie besuche nach der Arbeit noch Maria. Mai war einverstanden, verlangte aber, sie müsse um acht zurück sein, da Gäste kämen. Abends schloß sie sich dem

Menschenstrom in die U-Bahn-Station an. In dem voll-
gepackten Wagen schwankte sie hin und her, und in
ihrem Kopf rasten die Gedanken durcheinander. Die
Leute standen so eng wie Hühner in einer Legebatterie;
sie schaute sich um und fing den Blick einer jungen
Inderin auf, die gegen eine Zwischentür gepreßt stand.
›Ob das Varsha Nahri ist?‹ dachte Sumitra. ›Und wenn
sie es nicht ist – ob sie es wohl sein möchte?‹ Sie starrte
alle Mitreisenden an, einen nach dem anderen, die
Schwarzen, Weißen, Braunen und die Mittelmeertypen.
Sie waren so dicht zusammengequetscht, als würden sie
in einer gespenstischen Umarmung festgehalten – und
dennoch würden sie nie etwas von den Namen, Berufen,
Hoffnungen und Ängsten der anderen erfahren. Die
Gesichter waren wie Etiketten – schwarz/männlich/30
Jahre oder weiß/weiblich/22 Jahre – aber dahinter blieb
alles andere verborgen. Sie nahm die Tasche in die andere
Hand und merkte, daß der Lederriemen sich tief ins
Handgelenk eingeschnitten hatte. Camden Town. Der
Zug leerte sich zur Hälfte, Leute drängten hinaus, stol-
perten, bewegten eingeschlafene Hände und Füße. Ein
neuer Schub kämpfte sich wieder herein, schob sich hin
und her auf der Suche nach Sitzplätzen, murrte über die
Warterei, und dann zogen sich alle stumm in sich selbst
zurück.

Der Zug fuhr an. Tag auf Tag glitt er hin und zurück
wie eine ungeheure menschenfressende Schlange, die sich
nie verändert. Nur die Gesichter darinnen änderten sich.
Als sie in Highgate einfuhren, fiel ihr ein Filmplakat auf,
das für *Dantes Inferno* warb. Sie grinste. Das war wohl
der Gipfel an Ironie, für das Inferno zu werben, das
gerade dabei war, sie alle zu verschlingen.

Maria brachte Sally ihr Essen, als Sumitra ankam.
»Hallo, Sumitra, das ist aber eine Überraschung.« Sie
wurde sofort ins Haus gezogen, mußte sich setzen und
bekam einen Becher Kaffee und einen Teller Kekse. Sally
strahlte. »Hallo, Mitra. Guck mal, neue Schuhe.« Sie

streckte die Füße aus, und Sumitra bewunderte sie. »Fabelhaft.«

»Aber neue Socken hab' ich auch.« Sally zog die neuen Schuhe aus und ließ ein Paar schmuddelige, weiße Socken sehen. »Und –«, das Kind hielt bedeutsam inne, um die größte dramatische Wirkung zu erzielen, »– ich habe sogar einen neuen Schlüpfer.« Sally sprang auf und hob ihr Kleid hoch. »Ist der aber hübsch«, meinte Sumitra, »da sind ja Hühnchen und Hunde und Katzen darauf.«

»Trink deinen Tee aus und geh dann spielen«, sagte Maria. »Sumitra ist müde.« Sally grabschte sich noch einen Keks von Sumitras Teller und rannte kichernd hinaus.

Maria war etwas breiter und dicker geworden. Jetzt, da ein weiteres Baby unterwegs war, fühlte sich Sumitra noch ausgeschlossener. Natürlich war sie immer willkommen, Maria und Martin betonten das wieder und wieder, aber letztlich führten sie ihr eigenes Leben – eine junge Familie, die für Kinder zu sorgen hatte. Im Fremdenheim war das noch anders gewesen, da hatte jeder für sich gelebt. Maria würde immer ihre Freundin sein, das wußte sie, aber jetzt hatte Maria an anderes zu denken und viel zu tun. Da durfte man sich nicht einfach aufdrängen.

»Was ist denn los, Liebling?« fragte Maria sanft. »Wo stimmt etwas nicht? Hast du wieder Sorgen zu Hause?«

»Nein, nein. Es ist nichts Besonderes. Es ist bloß … heute nachmittag habe ich eine Akte im Büro gelesen, zufällig. Es ging um ein indisches Mädchen, das von zu Hause weggelaufen war, und ihre Eltern beauftragten Mr. Farley, sie zu suchen. Da hab' ich dann nachgedacht, aber ich weiß nicht, was ich machen soll. Ach, Maria, es ist alles so hoffnungslos. Aber ich muß mich bald entscheiden. Wenn ich zu Hause bleibe, muß ich mich mit meinen Eltern abfinden, mit ihren Gesetzen, Gewohnheiten, Traditionen. Aber ich glaube, das halte ich nicht aus. Ich möchte nicht nur mit Indern zusammensein, ich will die Leute auch gar nicht so einteilen. Mein Herz ist nicht

braun, verstehst du? Wenn ich einen Menschen mag, dann möchte ich mit ihm befreundet sein, egal, wo er herkommt. Und wenn ich ihn nicht mag, dann will ich auch nichts von ihm wissen, Inder oder nicht. Ich kann doch nicht einen Menschen heiraten, den ich gar nicht kenne, dazu bin ich jetzt viel zu ›englisch‹. Und am liebsten würde ich überhaupt nicht heiraten. Und ich brauche Zeit – um zu lernen, um nachzudenken, um auszuprobieren.«
Sie wischte sich die Augen und seufzte tief.

»Reg dich nicht auf, Sumitra. Ich mach' uns noch etwas Kaffee und ein paar Sandwiches. Martin kommt heute erst spät heim, deshalb wollte ich kein richtiges Abendessen machen.«

»Maria, du kannst doch gar kein richtiges Abendessen machen.« Sie war über ihren eigenen Witz überrascht, aber es war ihr nicht nach Lachen zumute. Schon bei Maria zu sein entspannte sie. Während Maria eifrig hin und her lief, schaute sich Sumitra in der Küche um. Jeder Fenstersims, jedes freie Fleckchen war eine Ablage für Marias Hobbys. Sumitra hatte noch nie jemanden kennengelernt, der sich in so vielen Sachen versuchte. Da lagen handbestickte Lavendel-Kißchen, bemalte Kacheln, buntlackierte Holztöpfe und -löffel und selbstgemachte Kerzen. An der Handtuchstange hing eine Mandoline, auf dem Kühlschrank lag eine Flageolettflöte, eine Gitarre baumelte im Besenschrank, und in der Vorratskammer fand sich eine Ziehharmonika.

Sumitra seufzte abermals. Sie brauchte Zeit, um sich zu entwickeln, um zu suchen, zu experimentieren, um Fehler zu machen und Erfolg zu haben. Sie legte den Kopf auf die Hände, sie merkte, wie die Tränen kamen.

»Hätten wir doch bloß Uganda nicht verlassen. Wären wir doch nach Indien gegangen. Dann würde ich es nicht anders kennen. Dann wäre ich nicht so durcheinander, so verzweifelt. Ich hätte einfach gemacht, was jeder macht, ohne lang zu fragen, ohne mir Gedanken zu machen. Ich fühle mich so unter Druck, so gefesselt, seit Wochen schon, ohne es zu merken. Bis ich jetzt von einem Mädchen lese, das tatsächlich getan hat, woran ich immer nur gedacht habe. Aber soll ich's denn zum Bruch kommen lassen? Bin ich nicht egoistisch, wenn ich was mache, was die ganze Familie aus dem Gleichgewicht bringt und meinen Schwestern alle Heiratschancen verdirbt? Das Leben von fünf Menschen geht kaputt, damit ein Mensch glücklich sein kann?« Sie blickte Maria durch Tränen an. »Was soll ich tun?«

Maria stellte Sandwiches und Kaffee auf den Tisch. Sie schaute Sumitra an, eine schöne, junge Frau, die hin und her gerissen war, und dabei spürte sie Sumitras innere Kraft und Entschlossenheit. In ihrem eigenen Leib wuchs neues Leben heran und drängte in eine Welt, die wild und grausam, aber auch gütig und liebevoll war.

»Ich kann dir nicht sagen, was du tun sollst. In meiner Situation steht es mir nicht zu, dir zu raten. Außerdem bin ich nicht nur mit dir, ich bin auch mit deiner Mutter befreundet. Ich kann dir da nichts sagen. Aber ich glaube, du weißt, was ich an deiner Stelle täte.«

Sumitra wischte einen Krümel vom Tisch. »Du würdest gehen, nicht wahr?«

Maria nickte. Sie strich sich das Haar aus der Stirn und sagte: »Wenn du keinem weh tun willst, wird's immer furchtbar schwierig, aber manchmal hast du keine andere Wahl. Du kennst den Stand der Dinge, du weißt genau, was passiert, wenn du zu Hause bleibst. Deine Eltern werden glücklich sein, und du wirst unglücklich sein. Du wirst auf dem Fließband festgeschnallt, und ab geht's in die ›große Wurstmaschine‹.«

»Ja! Ja!« rief Sumitra aufgeregt, sprang auf und lief herum, als könnte sie im Sitzen ihre Gedanken nicht mehr beisammenhalten. »Genauso ist es, Maria. Du nennst es die ›große Wurstmaschine‹, und ich nenn's immer die Generationenfolge. Aber es ist das gleiche. Du machst etwas, weil's immer so gemacht worden ist, selbst wenn du's nicht willst, selbst wenn du weißt, daß es falsch ist, weil der Bruch in der Tradition nur Ärger macht. So bekommst du dann eine lange Reihe von Konformisten, eine Generation nach der anderen, und alle tun, was von ihnen erwartet wird. Wär ja auch in Ordnung, wenn was Vernünftiges oder Menschliches dabei herauskäme, aber wenn es nur zu Angst führt, zur Abkapselung, zum Haß, dann...« Ihre Stimme brach, sie setzte sich.

Maria klatschte. »Bravo, bravo«, rief sie. »Du wirst noch Premierministerin, wenn du so weitermachst.« In ernstem Ton fuhr sie fort: »An deiner Stelle würde ich gehen. Sonst wirst du so wie Sulima und deine anderen Freundinnen. Sulima wird nie weggehen, obwohl sie von nichts anderem spricht. Ich glaube, ihr fehlt der Mut. So ist sie halt, da ist nichts zu machen. Aber du, du hast den Mut dazu. Du bist ganz anders, das habe ich immer schon gespürt. Und du weißt, es wird nicht einfach sein, vielleicht verstößt dich deine Familie. Du mußt dir überlegen, ob du das aushalten kannst, und wenn ja, mußt du tun, was zu tun ist. Du kannst immer auf deine Freunde rechnen, Martin und ich werden zu dir halten, und du hast noch Freunde bei Hanbury und Schulfreundinnen. Manchmal sind Freunde wichtiger als die Familie, glaub mir, ich weiß Bescheid.«

Sie räumte die Teller ab und fing an zu spülen. »Nur eines: Wenn du dich entschieden hast, dann sei vorsichtig. Ich weiß nicht, was deine Familie vielleicht unternimmt, vielleicht verfrachtet sie dich diesmal wirklich nach Indien. Behalt's für dich, sag keinem Menschen was.«

Sally kam hereingerannt. »Mark hat Schwein zu mir gesagt, und da hab' ich ihn gehauen, und jetzt läuft er zu seiner Mammi und sagt's ihr«, berichtete sie aufgeregt. Maria drückte ihre Tochter an sich und lächelte matt. »Du meinst, du hast Probleme?« fragte sie. »Schau nur, wie spannend es bei uns zugeht.«

Sally tauchte in den Kühlschrank und kam mit einem dicken Stück Käse und einem Kartenspiel wieder hervor. »Die Karten habe ich schon gesucht«, sagte Maria.

»Mitra«, forderte Sally, »wir wollen Quartett spielen. Spielst du mit ›Glückliche Familien‹?«

Maria grinste. »Sehr taktvoll ist sie ja nicht.«

»Nein, wirklich nicht«, bestätigte Sumitra und warf das stämmige kleine Mädchen, das vor Entzücken aufschrie, in die Luft und fing es wieder auf. »O. K. Warum nicht. Spielen wir ›Glückliche Familien‹.«

»Du kommst spät«, schimpfte Mai, als sie um Viertel nach acht ankam.

»Deine Mutter hat sich schon geängstigt, Mädchen«, tadelte sie Dadima. »Du zeigst zu wenig Rücksicht. Du solltest sowieso abends nicht mehr allein auf der Straße sein.«

Sumitra bezwang sich, um nicht zu schreien, und lächelte statt dessen. »Keine Sorge, Dadima«, sagte sie, »in Indien wird es schon früh dunkel, deswegen dürfen Mädchen abends nicht allein ausgehen. Aber schau mal hinaus, wie hell es noch ist.«

Sie ging in die Küche, um Mai zu helfen. Nagin und einige andere Freunde wurden erwartet. Es mußten Kartoffeln geschält werden. Sandya war eingeteilt, *Roti* zu machen; ihr Haar war voller Mehl, und sie roch nach *Ghee*.

Unter den ankommenden Gästen erkannte Sumitra zu ihrer Überraschung auch Kirit von der Elektro-Groß-handlung. Als sie und Sandya das Essen hereinbrachten, schaute er sie lange prüfend an. Sumitra mußte zugeben: Die Szene hatte einen gewissen Reiz.

Nagin hatte seine *Sitar* mitgebracht und sein Bruder eine *Tabla*; sie setzten sich auf den Boden und improvisierten eine rhythmische Weise, und die Männer klatschten dazu mit den Fingerspitzen in die Innenhand, während die Frauen, in ein anderes Zimmer verbannt, bei der Essenszubereitung halfen und dabei den Takt mit den Füßen klopften. Dadima saß in ihrem Sessel, den weißen Sari lose umgeschlagen, einen nackten Fuß auswärts gebogen auf dem Boden, während sie wohlgemut auf dem untergeschlagenen anderen Fuß balancierte und mit ihren gekrümmten Fingern gewachste Baumwolldochte für die Andachtskerzen zu Kugeln rollte.

»Wenn ich nur malen könnte!« dachte Sumitra. Die ganze Gruppe wäre ein exotisches Thema für einen van Gogh oder Rubens gewesen. Sie wünschte, sie könnte das alles festhalten: die leuchtenden Farben der Saris, das Schimmern der silbernen Schalen, die vollbeladen waren mit Reis und *Paratas* und gewürzten Kartoffeln.

Sie könnte Kirit heiraten und Teil des Bildes sein, Teil dieser ganzen frohen Szene. Dann hätte sie Rang und Namen in der Gemeinschaft, einen zugewiesenen Platz und eine festgelegte Rolle. Alles wäre dann einfach, es würde keine Probleme mehr für sie geben und keine Sorgen, die sie bedrücken könnten. Jedoch – und sie war sich immer noch nicht ganz sicher –, war das wirklich ihr Weg? Gehörte sie in dieses Bild? Gehörte sie überhaupt irgendwo in irgendein Bild?

Kirit sah gut aus und schien ganz verträglich. Aber man würde sie nie mit ihm allein lassen, und sie würde nie erfahren, wie er wirklich ist – bis nach der Hochzeit. Und gereizt fragte sie sich, ob Mrs. Baker, die so dafür eintrat, daß Minderheiten ihre Sitten und Gebräuche beibehalten sollten, wirklich zustimmen würde, daß Lynne mit achtzehn in eine vorbestimmte Heirat hineingezwungen würde – oder wollte sie das fremde Brauchtum vielleicht nur deshalb so fördern, damit ihr eigenes Leben farbiger erschien?

Sie kam sich vor wie eine Raupe, deren Haut schon zu eng geworden war, die aber die Häutung, den Schritt ins Unbekannte, noch scheute. Noch saß man innen drin geschützt und warm.

18

Die Goldspear-Agentur hatte zwar prächtige Angebote
im Aushang, schien aber Sumitras Registrierung völlig
vergessen zu haben. Doch die Job-Zentrale rief sie während der Arbeit an und winkte mit einer Dauerstellung.
»In einem Reisebüro«, erklärte die Angestellte. »Sie suchen ein Mädchen, natürlich Steno und Maschine, das
Leute berät und Buchungen macht. So etwas Ähnliches
wollten Sie doch, oder?«

Einen Augenblick lang war ihr die Kehle wie zuge-
schnürt. Mühsam brachte sie dann eine Antwort heraus
und notierte sich die Adresse, die das Mädchen durchgab.
Als ihr Herzschlag endlich wieder auf zweiundsiebzig pro
Minute herunter war, rief sie an, um einen Termin auszu-
machen. Dann berichtete sie Mr. Farley. Lächelnd
wünschte er ihr Glück. »Natürlich können Sie gehen. Ich
bin überzeugt, Sie bekommen die Stellung. Wenn Sie
schon am Montag anfangen sollen – von mir aus auch gut.«

Am Donnerstag nachmittag schien die Sonne. Als sie
durch die Schwingtür eintrat, fühlte sie ein Selbstvertrau-
en, das sie wie eine Wolke umgab. »Und nicht vergessen«,
hatte Mr. Farley ihr geraten, »Sie müssen sich gut verkaufen. Reden Sie nicht lange von dem, was Sie nicht können.
Betonen Sie das, was Sie können.«

Eine Reiseberaterin führte sie nach hinten in ein Warte-
zimmer, und bald holte eine Sekretärin sie ins Büro des
Chefs. Ein kleiner, dicker Mann erhob sich hinter seinem
Schreibtisch und stellte sich vor. »Miß Patel, ich freue
mich, Sie kennenzulernen. Ich bin Mr. de Souza. Ich habe
gute Auskünfte von der Job-Zentrale über Ihre Arbeit.
Bitte, nehmen Sie Platz.« Er deutete auf einen Sessel.
Sumitra sank in einen roten plastikbezogenen Armsessel;
sie hatte seinen starken portugiesischen Akzent bemerkt
und spürte die kraftvolle Ausstrahlung von Energie, die
von ihm ausging.

Über sein ausdrucksvolles Gesicht glitt ein Ausdruck

äußersten Mißbehagens. Sumitra fragte sich, ob er Schmerzen habe. »Meine liebe Miß Patel«, sagte er gequält. »Ich muß Sie leider testen.« Sie starrte ihn verwirrt an. »Nehmen Sie einen Brief auf.« Er zog tief den Atem ein und fing an zu diktieren: »Sehr geehrter Herr, in bezug auf...« Sumitra begriff plötzlich und schaute sich nach Papier um. Sollte sie ihn mittendrin bremsen? Sie mußte einen Lachanfall unterdrücken, und dann erst sah Mr. de Souza sie regungslos im Sessel sitzen und lachte leise.

»Ich bin wirklich dumm. Bitte verzeihen Sie mir. Hier ist ein Stück Papier und ein Bleistift.« Er fing wieder an und diktierte unglaublich schnell, wobei er die fremden Eigennamen mit eindrucksvoller Lässigkeit aussprach. »Sehr geehrter Herr, in bezug auf Ihre Anfrage vom 18. muß ich Ihnen leider mitteilen, daß es nicht möglich ist, Sie in der gewünschten Zeit im Hotel Italia, Milano, unterzubringen.« Ohne Pause fuhr er fort: »Das ist ganz typisch, damit müssen Sie immer wieder fertig werden, wenn Sie den Job bekommen.« Während der Bleistift über das Papier flog, merkte Sumitra, daß er nicht mehr diktierte, und strich den letzten Satz aus. Gerade als sie sich etwas entspannte, fing er wieder an, und in rasender Eile versuchte sie, ihn einzuholen. »Doch könnten wir Ihnen in der gewünschten Zeit ein Zimmer im Hotel Adelphi anbieten, ganz in der Nähe vom Hotel Italia und in derselben Komfortgruppe.« Sumitra kam mit und dankte Gott, daß sie durch die Arbeit in der Detektei ihr Stenotempo erheblich verbessert hatte. Man brachte sie in ein kleines Büro, wo sie den Brief schreiben sollte.

Mr. de Souza jubelte förmlich über das Ergebnis. »Gut! Gut! Ausgezeichnet! Wissen Sie, das letzte Mädchen, das sich hier vorstellte, konnte nicht einmal richtig ›Kreuzfahrt‹ schreiben. Können Sie sich das vorstellen? Kommt in ein Reisebüro und kann nicht mal richtig ›Kreuzfahrt‹ schreiben. Zum Lachen ist das. Aber das hier ist gut, gut!«

Er holte eine Dose Schnupftabak aus der Tasche und bot Sumitra eine Prise an. »Möchten Sie?« Sumitra lehnte dankend ab. Er rollte den Tabak zwischen den Fingerspitzen und führte ihn in seine bebenden Nüstern ein. Darauf nahm er ein großes gelbes Taschentuch und schneuzte sich kräftig.

»Nun zum Job. £ 70 die Woche. Das ist gut für ein Mädchen Ihres Alters. Sehen Sie, Miß Patel, ich zahle gut für gutes Arbeiten. Erst Probezeit, ein Monat. Dann, wenn wir Sie mögen und Sie mögen uns, gebe ich Ihnen £ 80 die Woche.« Sumitra beherrschte sich, um nicht nach Luft zu schnappen. Das war unglaublich, mehr, als Bap verdiente. »Arbeitszeit neun bis halb sechs. Ein Samstag im Monat. Sie arbeiten im Büro und helfen aus bei Beratung und Buchung. Hier sind viele Chancen für Sie. Und Sie mit Ihrem Russisch . . .«

Bevor sie ging, mußte sie sich noch die Fotos von Mr. de Souzas Frau, Kindern und Enkeln sowie des Hauses in Oporto ansehen. Danach führte er sie herum und stellte sie ihren Kolleginnen vor. Wie betäubt lächelte sie den Buchungsangestellten und Mr. de Souzas Assistentin zu.

Draußen auf der Straße lächelte sie einen Straßenkehrer an. Jetzt, als sie schon beinahe die Hoffnung aufgegeben hatte, war sie am Ziel: Sie hatte endlich eine Dauerstellung. Freundinnen von ihr waren immer noch ohne Arbeit, und sie wußte, oft war sie nur wegen ihres Namens gar nicht erst empfangen worden. Es gab Unternehmen, die trotz der Arbeit der Kommission für Rassengleichheit gar nicht daran dachten, eine Patel anzustellen, eine Asiatin, eine Ausländerin. Das gehörte mit zu ihrem Problem; während sie aus dem Bannkreis der indischen Traditionen hinausdrängte, gab es draußen andere starke Kräfte, die sie nur wieder dort hineinstoßen wollten. Oft überkam sie die Angst, daß sie in diesem Zwiespalt am Ende entkräftet und willenlos auf der Strecke bliebe wie ein Herbstblatt im Wind. Aber mit einer Dauerstellung im Rücken hatte sie schon einen Fuß aus dem Bannkreis hinausgesetzt.

Sie ging die Straße hinunter und bemühte sich, reif und überlegen auszusehen, aber innerlich juchzte sie vor Freude und machte Luftsprünge. Mr. de Souza war jedenfalls eine verblüffende Type mit seinen merkwürdigen Eigenheiten und so springlebendig und warmherzig, wie er war. Sie konnte sich jetzt nicht mehr erinnern, welcher Name zu welchem Gesicht gehörte; war Maureen das hübsche schwarze Mädchen oder war das Ava? Hieß seine Assistentin Gwynneth oder Maureen? Sie konnte kaum den Montag abwarten.

Nun konnte sie anfangen zu planen. Zu Hause erwähnte sie die neue Stelle mit keinem Wort. Sie wollte nicht, daß ihre Eltern sie im Büro erreichen konnten; sie dachten, sie sei immer noch bei Mr. Farley.

Sie arbeitete teils im Büro, teils in der Beratung und am Buchungsschalter. Lisbonia-Reisen buchte Flüge und arrangierte Touren überallhin, aber den Schwerpunkt bildeten Reisen nach Spanien, Portugal und Osteuropa. Es gab viel zu lernen. Beratungsabwicklung, Buchungen, Zimmerbestellungen, Stornierungen, Quittungen, Notfälle, Devisenkurse. Es war eine neue Welt, aufregend und voller Geheimnisse. Wann immer die Tür aufging und jemand auf sie zuschritt, setzte ein Kunde sein Vertrauen in sie. Vielleicht war es ein reicher Mann, dem ein Flug zur Costa Smeralda so selbstverständlich war wie für sie eine Busfahrt mit dem 263er. Oder ein Mütterchen, das sein Leben lang für eine Amerikareise gespart hatte, um die Familie zu besuchen. Sumitra trug die Verantwortung, sie mußte gewissenhaft und verläßlich sein. In den ersten Wochen war soviel zu lernen und zu tun, daß sie gar keine Zeit hatte, sich um irgend etwas anderes zu kümmern.

Es war erregend und ermüdend – genau die Herausforderung, die sie gebraucht hatte. Sie kam zu spät nach Hause, um noch im Haushalt helfen zu können, nach dem Heimweg von der Haltestelle sank sie erschöpft ins Bett. Die neuen Pflichten waren so interessant, daß alle ihre häuslichen Probleme wie auf Eis gelegt, ja eigentlich gar nicht mehr vorhanden schienen. Die Arbeit machte sie so glücklich, daß ihr die Situation nicht mehr so trostlos vorkam, und sie war zu müde, um noch ausgehen zu wollen, und froh, zu Hause Ruhe zu finden.

Das schönste an der Stelle waren die Zukunftsaussichten. Wenn sie in drei Jahren immer noch Stewardeß werden wollte, konnte sie bei der Ausbildung die jahrelange Schulung im Verkaufs- und Verwaltungswesen überspringen. Ihre Arbeit erleichterte ihr den Zugang zu Fluggesellschaften. Wenn sie aber bei Lisbonia bleiben wollte, gab es viele andere Chancen – die Tätigkeit als Reiseleiter oder bei Übersee-Inspektionen –, in jedem Fall stand ihr damit eine neue strahlende, abenteuerliche Welt offen.

Sie fühlte in sich den starken Wunsch, Größeres zu vollbringen, als ein langweiliges Leben zu führen und langweilige Kinder aufzuziehen.

Nach den Monaten einsamer Arbeit in kleinen Büros machte es auch Spaß, mit einer ganzen Schar junger Kolleginnen zusammenzusein. In der Mittagspause gingen sie gemeinsam in den Park oder in den Pub und lachten und witzelten über Kunden oder Mr. de Souzas Diktate oder Buchungsfehler. Sie sprachen über ihre Pläne und Familien. Maureen stand vor der Heirat und war entschlossen, so schnell wie möglich ein Baby zu bekommen, damit sie zu Hause bleiben konnte. Ava studierte Französisch und Deutsch auf der Abendschule, sie wollte ein paar Jahre im Ausland arbeiten. »Du hast ja Glück«, sagte sie zu Sumitra, »du sprichst Französisch, Russisch, Gujarati, Hindi und Englisch. Na, du bekommst doch eine Stelle, wo du willst.«

Zum achtzehnten Geburtstag erhielt sie von Martin und Maria ein Transistorradio. Bap begab sich von neuem auf die Suche nach einem Laden und fuhr mit Mai zum Wochenende nach Wolverton, Surbiton, Leicester. Aber nach der Rückkehr hieß es immer wieder »zu weit weg, zu teuer oder zu sehr heruntergekommen« – aber einmal würden sie doch noch Erfolg haben und etwas finden.

Dann würde Sumitra natürlich den Job aufgeben müssen, um im Laden mithelfen zu können.

Zumindest auf die Tage konnte sie sich jetzt freuen. Aber als Ava eine Konzertkarte übrig hatte oder Maureen sie zu einer Party einladen wollte, mußte sie ablehnen; es war ihr verboten, nachts noch außer Haus zu sein und überhaupt allein auszugehen, außer zur Arbeit.

Sie sah ihr Transistorradio an. Wenn sie von zu Hause wegginge, brauchte sie ein Radio, vielleicht hatte Maria es ihr deswegen geschenkt: als Symbol der Unabhängigkeit. Sie fing an, darüber nachzudenken, wohin sie gehen sollte, wenn es soweit war. Ihre Eltern kannten viele Leute im Nordteil der Stadt, sie mußte sich also südlich der Themse umsehen. Aber nach was? Ein Einzelzimmer wäre ihr zu einsam. So sehr sie sich nach Ruhe und Frieden sehnte, die totale Isolation in einem möblierten Zimmer wäre auch nicht das Richtige. Wieder begann sie zu zweifeln und fragte sich, ob sie sich nicht mit ihrem Los und mit dem Sohn des Onkels abfinden sollte. Wäre jedenfalls ganz nützlich, wenn einmal die Waschmaschine kaputtgehen sollte.

Schließlich gab ihr Maureen einen Tip.

Sie kämmte sich ihr Kräuselhaar im Toilettenvorraum und zupfte sich die Löckchen zu einem lockeren, großen Rahmen für ihr hübsches Gesicht, als Sumitra hereinkam und sie im Spiegel angrinste. »He, Sue«, begrüßte Maureen sie, »weißt du schon, daß Gwynneth noch jemand für ihre Wohngemeinschaft sucht?«

Gwynneth arbeitete in einem Zimmer neben Mr. de Souzas Büro. Als seine Stellvertreterin war sie mit der Ausarbeitung von Reiseplänen und Touren für anspruchsvollere Touristen befaßt. Tisch und Wände waren mit Karten, Plänen und Bildern von Rußland, Amerika, China, Island und Afrika bedeckt. Sumitra klopfte an und hörte beim Eintreten, wie Gwynneth russische Namen murmelte, während sie auf dem Rechner Entfernungen ausrechnete, die sie auf einer dreidimensional gezeichneten Karte eintrug.

»Hallo, Sue, Tobolsk, Swerdlowsk, Leningrad.« Aus den vor ihr liegenden Stiften nahm sie sich einen grünen Filzstift. »Gwynneth«, sagte Sumitra aufgeregt, »Maureen hat mir gerade von der Wohnung erzählt. Können wir darüber sprechen?«

Gwynneth schaute überrascht auf. »Suchst du ein Zimmer? Wußte ich gar nicht. Hör mal, ich hab' jetzt zu tun. Ich muß die Tour bis um elf fertig haben. Weißt du was? Wir essen zusammen im ›Blue Boy‹, und dann reden wir darüber.«

In der Mittagspause bekamen sie einen Tisch, obwohl das Lokal voll war. Sie nahmen einen kleinen Imbiß, und dabei beschrieb Gwynneth die Wohnung. »In Richmond, in der Nähe vom Park. Vier Zimmer, ich hab' eins, dann Ben, ein Kunststudent. Jenny ist Ärztin und Betsy Laborantin, beide im gleichen Krankenhaus, aber Betsy geht demnächst nach Kanada, und für sie suchen wir Ersatz.«

Sumitra starrte in ihren Orangensaft; nervös drehte sie das Glas auf dem Tisch im Kreis herum, bis der Saft auf den Bierfilz schwappte. »Meinst du, du könntest mich in Betracht ziehen?« fragte sie.

»Na klar, warum denn nicht?« rief Gwynneth fröhlich. »Du könntest mir Russisch beibringen. Das habe ich schon seit Jahren vorgehabt. Das wäre eine ungeheure Hilfe bei meiner Arbeit. Ich hätte dir das Zimmer schon angeboten, aber ich hatte keine Ahnung, daß du von zu Hause fort willst.«

»Will ich auch eigentlich nicht, das ist ja der Haken. Ist schwer zu erklären.«

»Ich weiß schon, was du meinst«, Gwynneth lächelte. »Bei mir war's ähnlich. Ich bin aus Gwalchmai, einem Dorf in Nord-Wales. Meine Eltern sind biedere Bürger, Kirchgänger, und ich wußte schon mit vier, daß ich für dieses Leben nicht geschaffen bin. Sie wollten mich nicht weglassen, denken doch, London ist ein Sündenbabel, aber ich hab' geredet und geredet, und was wollten sie machen? Wissen natürlich nichts von Wohngemeinschaft, wäre sicher nicht gut, wenn sie zuviel wüßten, aber daß ich glücklich bin mit meiner Arbeit und gute Freunde habe, das wissen sie.«

»Es geht nicht nur um meine Eltern«, beharrte Sumitra, die bezweifelte, daß Gwynneth sie wirklich verstand. »Es geht nämlich auch um meine Schwestern. Ich habe drei. Meine Eltern würden nie erlauben, daß ich von ihnen weggehe, und das bedeutet: Wenn ich sie verlassen will, muß ich eben von zu Hause weglaufen. Und damit ruiniere ich unter Umständen das Leben meiner Schwestern. Du weißt ja nicht, zu was manche indischen Eltern fähig sind. Vielleicht können meine Schwestern nie mehr heiraten, weil ich Schande über die Familie gebracht habe.«

»Heiraten!« lachte Gwynneth. »Wozu wollen sie denn heiraten? Wenn ihre Zukünftigen so borniert sind, heiraten sie besser erst gar nicht. Ist ja lachhaft. Na also, du machst jedenfalls, was du willst, weißt ja sowieso nicht, was passiert. Vielleicht bleibst du zu Hause, in Sack und Asche, und dann siehst du zu, wie all deine Schwestern weglaufen, und du bist die Lackierte.« Sie schaute auf die Uhr. »Ich muß wieder zurück. Hör mal, ich muß spätestens morgen mittag das Inserat aufgeben. Sei so gut, denk drüber nach, und sag mir morgen früh Bescheid. Die Wohnung ist ganz nett, und wir kümmern uns auch alle um dich und helfen dir, zurechtzukommen. Ich wollte mich nicht über deine Probleme lustig machen, ist halt so meine Art, aber ich verspreche dir, ich bin auf deiner Seite, und ich werde dir beistehen.«

Sie stand auf. Sie hatte das »Milch-und-Blut«-Gesicht eines »Mädchens vom Lande«, sie war freundlich und redlich, deswegen war sie auch so beliebt. Sumitra erhob sich gleichfalls und atmete tief. »O. K., Gwynneth«, sagte sie, »ich habe mich entschieden. Ich nehme das Zimmer.«

»Das beste, was du machen kannst«, lobte Gwynneth sie lächelnd. »Betsy zieht Ende des Monats aus. Kommst mal an einem Abend vorbei und siehst dir dein Zimmer und die anderen Bewohner an.«

In den folgenden zwei Wochen brachte Sumitra allmorgendlich ein sauber gefaltetes Kleid oder einen Rock in einer Tragetüte mit, die Gwynneth allabendlich mitnahm. Außerdem trug sie täglich zwei Blusen, Hemden oder Pullover, und so gelang es ihr, den größten Teil ihrer Garderobe unauffällig herauszuschmuggeln. Ein paar alte Kleider ließ sie hängen, für den Fall, daß jemand einmal nachsah.

Nun, da sie ihren Entschluß gefaßt hatte, kam Ruhe und Kraft über sie. Sie war sehr geduldig und lieb mit Ela und Bimla, half ihnen bei den Hausaufgaben und kaufte ihnen Geschenke. Sie behandelte Dadima und ihre Eltern ehrerbietig und liebevoll und wünschte, es gäbe einen anderen Ausweg aus dem Zwiespalt.

Sie hatte lange Unterhaltungen mit Sandya, die sich über ihre Zukunft genauso viele Gedanken machte wie sie selbst. »Ich weiß nicht, warum du nicht von zu Hause weggehst«, sagte Sandya zu ihr, »ich, wenn ich achtzehn bin, ich gehe bestimmt.« Beinahe hätte sich Sumitra verraten, aber sie konnte sich noch beherrschen. Es war besser, daß Sandya von nichts wußte, sonst würde sie unter Umständen noch für ihre »Fluchthilfe« bestraft. Es drängte Sumitra, sich Maria anzuvertrauen, aber Maria wäre die erste, die man nach ihr ausfragen würde. Es war am besten, niemanden mit hineinzuziehen und erst nach dem Umzug wieder Verbindung aufzunehmen.

Juristisch gesehen, konnte niemand sie daran hindern, das Elternhaus zu verlassen, aber in mancher Beziehung wäre ihr Leben ruiniert. Mit der Familie könnte es keinen Berührungspunkt mehr geben, und der konservative Teil der indischen Gemeinschaft würde sie ächten. Wenn Jayant je herausfand, wo sie war, würde sie endlose Wiederauflagen des Pub-Dramas erdulden müssen. Mai und Bap würden jeden Abend dasein und auf sie einreden, und wenn sie nachgäbe und zurückginge, hätte sich nichts geändert. Sie würden sie möglicherweise auch entführen, unter Drogen setzen und nach Indien bringen. Das klang weit hergeholt, aber es wäre nicht der erste Vorfall dieser Art. Wenn sie zu Hause blieb, hatte sie sich den dortigen Gesetzen zu unterwerfen. Das konnte sie nicht. Also mußte sie gehen. Und dennoch fürchtete sie sich vor den Monaten, die vor ihr lagen. Es würde sicher schwer sein, den Sprung ins Unbekannte zu wagen, nachdem ihr ein Leben lang jeder wesentliche Schritt genau vorgezeichnet gewesen war. Immer hatte sie in die Fußstapfen anderer treten können, und jetzt würde sie ihre eigenen Fußstapfen setzen müssen; der Gedanke machte ihr Angst.

Die letzten Tage zu Hause waren bittersüß. Die fahle Wintersonne schien durch die Verandatür ins Wohnzimmer und überzog alles mit einem goldenen Schimmer, der schwermütig machte. Zum letzten Male würde Dadima sie wegen der hochhackigen Schuhe tadeln. Zum letzten Male würde sie *Chapattis* machen. Zum letzten Male würde Ela ihr den Lippenstift verstecken. Zum letzten Male würde Sandya sie »dumme Kuh« nennen. Zum letzten Male würde Mai mit ihr schimpfen, weil sie nicht gebügelt hatte.

Menschen, die eine Reise antreten, stellen oft in der Nacht vor der Abfahrt fest, daß aller Ärger und Verdruß, der sie seit Monaten oder Jahren gequält hat, auf einmal zu verschwinden scheint – wie wenn jemand aus einem schönen Bild den Bleistiftentwurf herausradiert. Während sie zum letzten Abendessen um den Tisch herumsaßen, den Sumitra ihnen aus einem Sonderangebot bei Hanbury besorgt hatte, fühlte sie, wie ihr die Tränen kamen. »Mai«, sagte Ela, »Sumitra weint.«

Und da waren sie sofort alle um sie herum, warme Arme, die sich um sie schlossen, besorgte Fragen, ob sie krank sei. »Nein, es ist nichts«, antwortete sie und versuchte zu lächeln.

Bap blickte beunruhigt zu ihr herüber. Schon seit langem achtete er nicht mehr auf seine Töchter, es war auch immer zu wenig Zeit dazu. Sie waren so groß geworden, sogar Ela war schon zehn. »Ich führe dich am Sonntag aus«, sagte er, »du darfst es dir aussuchen. Wohin du willst.«

»Können wir mitkommen? Oh bitte, Bap!« riefen Ela und Bimla.

»Ruhe jetzt!« befahl Mai. »Sumitra, du ruhst dich aus. Du siehst fern mit deinem Vater. Sandya, Bimla, ihr helft mir beim Spülen.«

Sumitra setzte sich aufs Sofa. Dadima setzte sich neben sie, nickte und lächelte mit zahnlosem Mund. »Du bist ein gutes Mädchen«, sagte sie, »mach dir keine Sorgen. Alles wird gut.« So einen Abend hatte es noch nie gegeben, solange sie denken konnte. Es war fast wie in der Fernsehwerbung – Mutter spült, Tochter sitzt herum und wird verwöhnt. Wie konnte sie unter diesen Umständen weggehen, jetzt, nach diesem seltenen Erlebnis beglückender Familienzusammengehörigkeit?

Unter großen Seelenqualen ging sie in dieser Nacht zu Bett. Mai hatte ihr noch ein Glas heißer Milch mit einer Zimtstange drin gebracht und ihren Arm gestreichelt. Es war noch nicht zu spät, um alles umzustoßen. Gwynneth würde ohne weiteres jemand anderen finden, und so lange würde Sumitra die Miete zahlen. Hier würde jedenfalls morgen die Hölle los sein. Sie würde mit großer Wahrscheinlichkeit verstoßen und von der Hilfe und Liebe der Familiengemeinschaft absolut abgeschnitten sein, allein in einer Welt, die zum Teil von rassistischen Vorurteilen besessen war. Sich gänzlich freizumachen erforderte eine Art von Mut, den sie nicht aufbringen konnte.

Als sie endlich einschlief, schaltete sich ein Programm grellbunter Horrorfilme ein. Es war ein ungeheures Feuerwerk am Himmel, und das Feuer wich von den vorgesehenen Bahnen ab und fiel auf sie nieder und verbrannte sie überall. Eine endlose Reihe von Geschlechtern stand hintereinander, und alle streckten die Hand nach ihr aus, und plötzlich verwandelten sie sich in Feuerräder und zischten kreisend ringsherum und empor, hoch in den Raum und die Unendlichkeit. An den Mangobäumen hingen die Leiber der Gehenkten, und Birungi schlug Rad zwischen ihnen hindurch.

Sie sah sich selbst unter einem Mangobaum sitzen, von dem Früchte und Leichen im Überfluß herabhingen. Sally und Trupti krochen um sie herum, während sie ihnen eine Geschichte vorlas. Die Geschichte handelte von einer Welt voller Zwerge, schwarzer Zwerge, weißer Zwerge, gelber Zwerge, brauner Zwerge. Und die Zwerge verbrachten ihr Leben mit der Produktion immer neuer Marterinstrumente und Vernichtungswaffen gegen Zwerge anderer Hautfarbe und anderen Glaubens.

Dann hörte sie das Getrappel laufender Füße. Um die Kinder zu schützen, drehte sie sich um und sah die Mörderbande, die schon über ihnen war, fühlte die Schläge, schmeckte das Blut und hörte die Schreie »Paki, Paki!«

Das Kissen war naß. Aber tröstlich war das Licht der Straßenlaterne, das an die Zimmerdecke schien. Sie tastete nach dem Radio und schaltete ein, dankbar für die leidenschaftslose Stimme des Nachrichtensprechers. Sie wischte sich den Schweiß von der Stirn; ein Gefühl tiefen Friedens erfüllte sie. Sie legte sich zurück. Sie hatte die Antwort auf ihre Frage gefunden, seit Jahren hatte sie schon in einem Winkel ihres Bewußtseins bereit gelegen. Es kam nicht darauf an, welche Hautfarbe man hatte, welche Sprache man sprach, welchen Beruf man ausübte und wo man lebte. Die einzigen, denen das wichtig war, waren die Zwerge, die Kleinwüchsigen im Geiste. Es war Zeit, daß der Mensch zu seiner vollen Größe aufwächst und beherzt in die Zukunft geht – nicht nur um seinetwillen, sondern um aller Menschen willen.

19

Die aufrecht hingestellte Notiz in ihrem Zimmer war klipp und klar. »Mir geht es gut. Ich gebe Euch später Nachricht. Macht Euch keine Sorgen um mich. Ich liebe Euch alle. Versucht, mich zu verstehen. Ich mußte weggehen. Ich muß mein eigenes Leben leben.«

Sie schloß die Tür hinter sich und ergriff die kleine Tasche, die ein Nachthemd, das Radio, Zahnbürste und Make-up enthielt. Jeder hätte in ihr ein junges, elegant gekleidetes indisches Mädchen auf dem Weg zur Arbeit gesehen. Aber hinter dem glatten Gesicht, unter dem sorgfältigen Make-up verbarg sich eine Frau, die dabei war, einen Schritt ins Unbekannte zu tun.

Gegenüber dem Mann von dreißig oder vierzig Jahren, der sich hinter dem *Telegraph* versteckte und von den Guerilleros in Lateinamerika las, saß in der U-Bahn eine Freiheitskämpferin anderer Art. Und während der Zug die gewohnte Strecke abfuhr, wußte Sumitra, wenn sie jetzt zum letzten Male auf dieser Strecke aussteigen würde, wäre das zugleich der Einstieg in ein neues Leben.

Worterklärungen

Agar bathi	Räucherstäbchen
Balushai	Kleine süße Häppchen
Banyan	Bengalischer Feigenbaum
Barfi	Konfekt (sieht Glassplittern ähnlich)
Chapattis	Mehlfladen
Chevra	Gerösteter Reis mit Linsen
Dal	Linsen
Dukanwallah	Besitzer eines kleinen Ladens
Ghee	Büffelmilchbutter
Gulab jamon	Gebratene Quarkbällchen in Zuckersirup
Hakim	Heilpraktiker
Jalabi	Großes gelbes Zucker-Sirup-Gebäck
Ladoo	Süßigkeiten
Mantra	Religiöser Spruch, indisches Gebet
Usha-Mantra	Morgengebet
Mealies	(südafrikan.) Mais
Parata (Parattaa)	Fladenbrot
Penda (Bhindi)	Grünes langes Gemüse (Ladies' fingers)
Poori	Brot
Raga	Indischer Melodietyp
Rakshabandan-Fest	Geschwister-Fest: Tag im Jahr, an dem die Schwester für ihren Bruder betet und ihm ein Schmuckband ums Handgelenk bindet. Der Bruder schenkt der Schwester eine Gegengabe. Das Band trägt er ein Jahr lang, um zu zeigen, daß er die Liebe einer Schwester besitzt.
Rasgollah	Runde Milchsüßigkeit
Roti	Brot
Samosa	Dreieckige Reispfannkuchen (mit Kartoffeln, Erbsen oder Hackfleisch im Teig)
Sitar	Gitarreninstrument
Tabla	Kleine Trommel zur Begleitung der Sitar

WERNER J. EGLI

Lara verehrt ihren Vater, den angesehenen Plantagenbesitzer, der den Indianern Arbeit gibt. Als es zu einem Anschlag kommt, der Laras Vater gilt, rettet ihr Martin, der im Untergrund gegen die Ausbeutung der Bevölkerung und für die Freiheit seines Landes kämpft, das Leben. Was hat diesen Jungen dazu bewegt, bei so einer Tat mitzumachen?

Da Laras Mutter bei dem Anschlag ums Leben gekommen ist, sucht ihr Vater erbarmungslos nach den Tätern. Doch Lara kann Martin nicht verraten. Mit kritischen Augen betrachtet sie ihre Welt, die vielleicht doch Anlaß gibt, sich dagegen aufzulehnen. Als Martin gefangengenommen wird, steht für Lara fest: Sie wird ihn befreien. Aber immer noch wollen die Guerilleros, die Martins Bruder Guillermo anführt, Laras Vater töten. Sie locken ihn in eine Falle. Bei diesem Überfall finden Laras Vater und Guillermo den Tod, und Martin wird schwer verletzt. Für Lara bleibt nur der Versuch, mit ihm die Grenze zu erreichen.

**Werner J. Egli
Martin und Lara
200 Seiten. J u. E**

Ausführliche Informationen zu den Titeln der BENZIGER EDITION erhalten Sie in Ihrer Buchhandlung oder direkt beim Verlag, Postfach 5169, 8700 Würzburg.

**BENZIGER
EDITION**

Jugendliche zwischen zwei Welten

Thema Afrika –
auch bei dtv pocket

dtv pocket
lesen – nachdenken – mitreden

dtv pocket.
Die Reihe
mit dem
signalroten Streifen
für junge Menschen,
die mitdenken wollen.
Bei dtv junior.

Gunvor A. Nygaard

Inger
oder jede Mahlzeit
ist ein Krieg

dtv pocket 7899

Dieter Schliwka

Sirtaki

dtv pocket 78001

Volker Lange

Mahatma Gandhi
Der gewaltlose Rebell

dtv pocket 78002

Inger Edelfeldt

**Briefe an
die Königin der Nacht**

dtv pocket 78003

Hanna Lehnert

**Wie ein rostiger
Nagel im Brett**
oder: Die zweite Flucht

dtv pocket 78004